KB164586

아프지 말고 행복하게 잘 살아갈 것

최 별 지음

차례

2장, 인간관계에 상처받는 당신에게

3장, 사랑으로 상처받은 당신에게

4장, 나 자신을 사랑하지 못하는 어른아이

5장, 아픔을 딛고 행복으로

인스타그램에서 많은 독자들에게 공감과 위로를 주고 있는 최별 작가.
그의 글은 사람들에게 행복과 위로를 가져다 준다.
그의 감성과 사랑을 묶어 책을 출판하여 더 많은 사람들에게 소개하고자 한다.

인스타그램 | @ch_oibyeol

프롤로그

아프고 힘들었을 당신에게 해 주고 싶은 말이 있다.
너무나 힘든 시간을 보냈던, 그리고 많이 외로웠을 당신의 삶에
조그만 위로가 되고 싶다.

세상에는 많은 아픔들이 있기에, 또 아프게 하는 사람들이 있기에
우리는 매일같이 상처받고 또 아파한다.
문제는 그 상처들을 잘 만져 주고 낫게 해 줘야 하는데 그럴 시간도, 그럴 수 있는 방법도

모른다는 것이다.
그렇게 우리는 세월을 지나 어른이 되어가고, 나이를 먹었음에도
항상 아프고, 행복하지 못한 삶을 살고 있다.

당신, 참 많이 아팠겠다.
너무 아프고 힘들었겠다. 세상의 많은 풍파 속에 마음이 많이 상했겠다.
사람과의 관계, 인생에서의 이루지 못한 것들, 사랑의 실패 등 힘듦 속에서
당신의 삶이 많이도 아팠겠구나 싶다.
힘내라는 말은 하지 않겠다.
다만 당신의 아픔에 지극히 공감하고 진심 어린 위로를 건네고 싶다.

"아팠겠다. 그 이유가 무엇이건 당신 정말 아팠고, 고생 많이 했겠다." 라고 이야기해 주고 싶다.
누군가는 힘들지 않은 일이 당신에게는 너무나 아플

수 있다.

당신의 마음을 전혀 이해하지 못하면서 "뭐 그런 걸로 아파해?" 라고 묻는다면

대답할 가치도 없다.

사람은 모두 느끼는 바가 다르고, 또 힘든 부분이 다르기에,

당신은 지금 충분히 아프고 힘들어 해도 괜찮다.

아픔을 건너 당신의 마음이 편해질 수 있기를 바란다.

그래서 나는 이 책을 집필했다.

당신의 마음에 불안함을 없애고 안정을 줄 수 있도록,

그리고 행복으로 다가갈 수 있도록 말이다.

힘든 삶과 우울이 가득한 당신에게 이 책이 위로가 되기를 바란다.

꼭 기억했으면 좋겠다.

당신의 삶은 충분히 행복할 수 있다는 사실을 말이다.

1장,
마음 만져주기

나는 당신이 잘 살아왔음에 박수를 보냅니다.
그 것만으로도 멋진 일을 해내고 있는 거예요.

- 최 별 -

위로의 말

아프고 힘들었을 당신에게 위로의 말을 건네고 싶다.
당신의 삶은 아픔의 연속이었기에,
힘든 삶을 살아왔기에,
너무나 아프고 힘들었을 것이다.

누구 하나 진심 어린 위로를 해주지도 않고
그저 버텨라, 남들도 다 그러고 산다,
그런 말만 들었는지도 모르겠다.

우리는 각자 행복해질 권리가 있는데

왜 항상 아파해야 하고
남들과 똑같은 인생을 살아야 하는지 이해할 수 없다.
언제부터 우리의 인생은 이렇게 아픔의 연속이 되었던 걸까.
어쩌면 당신은 정말 좋은 사람인지도 모르겠다.
사람들의 가시 돋친 말에 상처받고,
하고 싶은 말도 제대로 하지 못하고,
그냥 속으로 삭이면서 가슴만 치는 그런 사람 말이다.
정작 아파야 할 사람들은 아프지 않고, 착한 당신만 아팠는지도 모른다.

참 불공평하다.
왜 좋은 당신이, 착한 당신이 상처받으며 비련의 주인공처럼 살아야 하냐는 말이다.

앞으로는 힘들지 않았으면 좋겠다.
여태까지 아팠다고 해서 앞으로도 아플 이유는 없으니까.

이제부터는 행복만 가득할 당신이니까.

더 이상 아프지 않도록 당신의 마음을 만져 주고 싶다.
어떤 일을 겪었든, 당신이 어떤 사람이든, 직업이 무엇이든,
남자이든, 여자이든, 당신이 아파야 할 이유는 이 세상에 단 한 가지도 없다.

당신은 세상에서 가장 소중한 사람이기에.
너무나 아름다운 마음을 가지고 있는 사람이기에.
아파야 할 이유는 없고 행복해야 할 이유만 존재한다.

당신, 앞으로는 행복만 가득하자.
아픔의 굴레를 던져버리고 웃음만 가득했으면 좋겠다.
여러 가지 생각과 걱정은 잠시 내려놓자.
걱정한다고 해서 해결되는 것도 없고,
수심에 가득 찬 얼굴을 하고 있어도
알아주는 사람 또한 없다.

당신이 행복할 수 있도록 도와 주고 싶다.
밥도 잘 먹고, 잠도 잘 자고, 사람들과 웃으면서
대화도 할 수 있었으면 좋겠다.
근심 걱정 없이, 행복하게 잘 살 수 있었으면 좋겠다.

우리는 오늘을 살아가기에,
과거는 돌아오지 않기에,
집착과 고민을 버리고 오늘을 살며 내일을 그리기를
희망한다.
행복, 그것은 자신이 정하는 것, 나는 행복으로 오늘
의 기분을 정하기로 했다.
당신은 나보다 더 행복하고, 더 많이 웃을 수 있기를
바란다.

사람에게 상처받지 말아요.

그 자식보다 당신이 훨씬 더 멋지거든요.

- 최 별 -

아플 때 생각해야 할 5가지

1. 이겨내려고 하지 말자. 그럴수록 더 힘들어질 뿐이다.

2. 울고 싶을 땐 펑펑 울자. 괜히 울음 참다가 우울해진다.

3. 마음이 아플 때는 자꾸 생각하지 말고 맛있는 것을 먹자.

4. 시간이 지나면 좋은 날이 온다는 것을 기억하자.

5. 상처 준 놈 보다, 당신이 훨씬 멋지고 아름다운 사람이다.

너에게 쓰는 편지

상처받은 당신의 마음을 안아주고 싶습니다.
꼬옥 안아 눈 녹듯 당신의 상처가 녹아 내렸으면 좋겠습니다.
감히 다 이해한다고 이야기하지는 않겠습니다.
그 아픔이 너무 커 섣불리 말하는 것은
주제넘은 일이기 때문입니다.

하지만 당신의 아픔을 같이 나눌 것입니다.
그 아픔을 같이 짊어지고 가고 싶습니다.
당신의 어깨가 조금이라도 가벼워지도록, 이야기를

듣고 공감해 주고 싶습니다. 그리고 같이 울어 주고 싶습니다.

'왜 그렇게까지 하냐' 물어볼 수 있습니다.
이유는 없습니다. 그저 사람이기에.
사람에게 느끼는 연민, 사랑, 공감일 뿐입니다.
모든 일에 이유가 필요한 것은 아닙니다.
전 그저 당신과 유대하고, 그 과정에서 위로해 주고 싶은 마음입니다.

어느 날 당신에게 우울이 찾아올지라도,

밥도 잘 챙겨 먹고,

사람들을 만나 털어놓았으면 좋겠다.

슬픔은 나눌 때 절반이 되는 법이니까.

\- 최 별 -

상처가 깊은 당신에게

참 나쁜 사람들이 많다.
그렇게 마음을 헤집어 놓고도 편안하게 웃으며 다니는 사람들이 놀라울 따름이다.
그들은 당신과 같은 사람의 마음을 무너뜨려 놨다는 것조차
인지하지 못하는 때가 정말 많다.

참 아이러니한 일이다.
상처를 준 사람은 잘 먹고 잘 살고,
상처를 받은 사람은 이렇게 힘들게 살아야 하니 말이다.

그때 받은 상처 때문에 당신, 많이 아플 것이다.
어쩌면 정신과에 다니고 있을지도, 어쩌면 자해를 했을지도, 어쩌면 우울증에 걸려
삶의 의욕을 잃었는지도 모르겠다.

그리고 그런 자신을 또 다시 자책하고 있는 건 아닌지 모르겠다.
나는 당신에게 바란다. 자책만은 부디 하지 말기를.

삶을 살다 보면 참 많은 일들이 생긴다.
내가 생각지도 못한 것에서 문제가 발생하기도 하고,
어쩌면 내가 가해자가 될 때도 있다.
그러나 일부러 그런 것이 아니라면 괜찮다.
당신의 잘못이 아니다.
세상이 돌아가기 위한 과정일 뿐이다.
당신이 고의적이지 않았다면 괜찮은 것이다.
상처가 매력을 뽐내지 못하게 하는 것일 수도 있다.

사실 굉장히 아름답고 매력적인 사람인데,
그 상처 때문에 나서지 못하는, 도전하지 못하는 상황이 발생했을지도 모른다.

망설여지기에, 잘못일까 싶은 두려움 때문에,
'이건 맞고 저건 틀리지 않을까' 이분법적 논리 때문에,
오늘도 망설이고 있지 않은지 묻고 싶다.

오늘, 솔직하게 터놓고 얘기했으면 좋겠다.
이 공간에서 다 내려놓고 솔직히 이야기했으면 좋겠다.
자신을 받아들이고 오롯이 나를 이해하고 사랑할 수 있을 때
우리는 행복해질 수 있다.

그러기 위해서 우리는 솔직해져야 하고
나는 당신이 되돌아보기를 바란다.

사실, 사람의 인격은 한 가지가 아니다.
마음에는 좋은 당신과 악한 당신이 존재한다.
문제는 악한 당신을 마주할 때, 받아들이지 못하고
'나도 나쁜 사람이 아닐까?' 하는 걱정에 빠지기 시작
한다는 것이다.
그리고 나쁜 감정에 휘말리게 되어 일이 벌어졌을 때
자책하고 상처받을 것이다.
'나는 나쁜 사람이다. 나에게 상처 준 사람과 다를 것
이 없다.'라고 느끼면서 말이다.

그러다 보면, 괜스레 나는 원래 나쁜 사람이라고 합리
화하며
오히려 나쁘게 살려고 노력하는 경우도 있다. 그러나
그러지 말라고 조언하고 싶다.

당신은 원래 선한 사람이기에 나쁜 사람이 될 수 없다.
당신에게 상처 줬던 사람들처럼 눈 하나 깜빡 안 하
는 사람이 될 수 없음을 알아야 한다.

그저 완벽하지 않기에, 좋은 마음도, 나쁜 마음도 함께하는 것이다.

우리는 이 부정적인 마음을 잘 받아들여야 한다.
우리에게 안 좋은 마음이 있다는 것을 받아들이고
또한 나 자신임을 알고 사랑해야 한다.
이기심, 욕심, 질투, 욕망.
좋게 느껴지지 않는 감정들도 받아들이고 사랑했으면 좋겠다.
'그래, 그런 생각이 들 수 있지. 그럴 수 있지.' 라고, 생각하면서 말이다.

그렇게 나 자신부터 가꾸어 나가야 한다.
나 자신에게 내가 상처받지 않을 때, 남이 나에게 하는 상처도 받지 않을 수 있다.
그러니 상처가 많은 당신에게 이렇게 이야기해 주고 싶다.

관대해져라. 자신에게 관대해졌으면 좋겠다.
남들의 기준은 생각하지 말고 무조건적으로
자기 자신에게는 관대함을 베풀었으면 좋겠다고 말이다.

사실 상처는 나 자신이 만들어 내는 경우가 더 많다.
남이 한 행동을 오해하기도 하고, 별 뜻 아닌데도
혼자 생각을 많이 하며 되새기는 것이다.
그러다 보면 어느새 생각의 초점에서 벗어나게 되고
결국 혼자만 아프게 되는 상황이 발생할 수 있다.

그러니까 남이 뭐라고 하든 신경 쓰지 말자.
가끔은 그냥 '아 모르겠다. 될 대로 돼라. 나는 내 방식대로 살련다.'
생각하는 게 훨씬 더 도움이 될 때가 많다.

그리고 실제로 그것이 정답이다. 자기 방식대로 살아가야 의미가 있는 것이다.

남들이 하는 대로 살아봐야 전혀 재미있는 인생이 아니다.
한 번 뿐인 인생, 재밌고 즐겁게 살아야 의미가 있다.

가끔 보면, 온라인 상에서도 상처받는 사람들을 본다.
한 글자 씩 의미 부여를 하고 이 사람의 속내는 무엇일까 고민하며 생각하는 것이다.
무슨 뜻이 있겠는가. 그냥 별 것도 아니다.

그런 것을 생각하고 있을 시간에 사랑하는 사람 얼굴 한 번 더 보는 것이
훨씬 더 인생을 행복하게 사는 길이다.

당신에게 해를 끼치는 사람들에게 내어줄 시간이 너무나도 아깝다.
생각조차 하지 말고, 상처받을 시간조차 주지 말자.
가치 있는 인생은 사랑하는 사람들과 함께하는 시간이 만든다.

그리고 그렇게 상처 준 사람보다, 당신이 훨씬 더 멋지다.

행복할 권리

행복하기를 바랍니다.
당신의 과거도, 오늘도, 내일도 항상 행복만 가득하기를 바라는 마음입니다.
그동안 많이 아프고 힘들었기에 이제는 행복해야 할 이유만 남았네요.

아팠던 당신이 그만큼 더 많이 행복했으면 좋겠습니다.
누구에게나 행복할 권리는 있지만 당신은 특히 그 권리가 더 있습니다.

봄은 따뜻해서,

여름은 바다를 볼 수 있어서,

가을은 사랑하기 좋은 계절이어서,

겨울은 감성의 계절이라서.

당신의 모든 계절이 아름다웠으면 좋겠습니다.

당신이 먼저 행복해져야 사랑하는 사람들도 행복하게 해 줄 수 있습니다.

항상 행복하고 건강 하십시오. 당신의 앞날을 언제나 응원하겠습니다.

아프지 말고, 자책하지 말고,

온전히 자신을 사랑하며 살기를 바랍니다.

- 최 별 -

아픔의 이유

사람이 가장 무섭다는 말이 있다.
우리는 대부분 사람들에게서 상처를 받는다.
직장에서도 업무 스트레스보다 사람 스트레스가 더 무서운 법이다.

그런데 사실, 알고 보면 사람한테서 받는 상처도 있지만 이유 없이 아픈 경우도 정말 많다.
그냥 아픈 것이다. 아무것도 하지 않았음에도 우울하고 그저 아플 때가 있다.
당신은 이상한 것도 아니고 잘못된 것도 아니다.

그저 그냥 그런 날이 있는 것이다.

당신의 아픔과 슬픔에 같이 울어 주고 싶다.
이유가 없는 슬픔에도, 울어야만 기분이 좋아질 때도 있기 때문에.
눈물에 슬픔이 쓸려 내려갈 때가 있기 때문에.
이유 없는 슬픔은 정당하다.

어릴 때의 나 자신을 돌아볼 필요도 있다.
나는 아직 어떤 어린 마음을 가지고 있는지.
무엇인지 생각해볼 필요가 있다.
가만히 앉아만 있어도 슬프다면 어릴 적으로 여행을 떠나자.
무엇 때문에 슬펐는지,
어디에서 아프고 힘들었는지 생각해보자.

어쩌면 지금 내가 아픈 것은 그때의 아픔과 동일 할 수 있다.

우리는 '어른아이'기 때문에.

어른이 되었어도 어릴 적 아이의 감성을 아직 가지고 있기 때문에.

몸은 커버렸지만 마음은 아직 그때에 머물고 싶기 때문에.

우리는 가만히 있어도 아픈 것일 수 있다.

시간이 많이 흘러 잊어버렸지만

사실 우리는 어릴 때, 그때의 기억속에서 살아가고 있을 수 있다.

나이를 먹어도 어머니를 찾는 듯이 말이다.

아픔의 이유가 있듯, 아프지 말아야 할 이유도 있다.

'그것은 당신이 세상에서 가장 소중한 사람이니까' 라고 말하고 싶다.

당신보다 소중한 사람은 세상에 없기에.

존재 자체로 가치 있기에.

당신이 아파서는 안 된다.

그렇게 아팠음에도 열심히 살아온 당신은 칭찬받아 마땅하다.
이미 많이 힘들었기에 이제는 아프지 말아야 한다.
앞으로는 자신에게 알려주자. 내가 가장 소중하다고.
나보다 소중한 건 세상에 존재하지 않는다고 말이다.

항상 기억하세요.

사랑하는 사람과 함께할 시간은

생각보다 길지 않다는 거예요.

- 최 별 -

SNS

오늘은 예쁜 카페에 왔어요.

예쁜 커피와 인테리어 위주로 사진을 찍어서 인스타그램에 올릴 거예요.
사실 커피 맛은 잘 몰라요.
예쁜 사진 찍어서 좋아요 많이 받으면 장땡이죠.

- '찰칵, 찰칵'
와 사진이 진짜 잘 나왔어요.

이제 피드에 올려야겠어요.
피드에 올리자마자 어디냐고, 너무 예쁘다고 댓글이 달리네요.
흐뭇합니다.

응? 근데 왜 친구가 화나 있죠? 나랑 있는데 그게 더 중요하냐고?
아니.. 피드 올리려고... 그런건데...

누구나 다 그렇지 않나요?
인증샷 찍어서 SNS에 올리고, 대화는 그 다음 아닌가요?
친구가 왜 그것도 이해 못해주는 거죠. 이해가 되지 않네요.

당신은 대화가 우선이라고요? 정말 그런가요?

괜찮죠?

- 엄마, 이번 주말에는 못 올라갈 거 같아요. 학교 과제가 너무 많아서요. 괜찮죠?
- 응, 괜찮아.

- 엄마, 이번 설에는 못 올라갈 거 같아요. 회사 일이 너무 바빠서요. 괜찮죠?
- 응, 괜찮아.

- 엄마, 지윤이 주말에도 학원 보내야 해서 못 올라갈 거 같아요. 괜찮죠?

- 응, 괜찮아.

진짜 괜찮은 줄 알았다. 엄마는.

대리기사 아버지

아버지는 회사 정년 후 대리기사를 하신다.
'굳이 그렇게까지 하셔야 되냐' 묻지만 그 일이 좋다고 하신다.
이제 나이도 먹어서 다른 사람 밑에서 일하기도 눈치 보이고
당신이 뛰시는 대로 수익이 들어오니 좋다고 말씀하신다.

사고의 위험이 있기에 걱정은 되었지만
아버지께서 만족하시니 그냥 응원해 드리는 편이 낫

겠다 싶었다.
돈도 버시고 좋지 뭐.

그런데 왜 가끔 올라갈 때마다 몸이 하나씩 아프시다
고 하는지 모르겠다.
아프지 않으시던 아버지가 계속 무릎이 아프다고 하
시고
발목이 아파서 제대로 걷지도 못하신다.

낮과 밤의 패턴이 바뀌셔서 식사도 새벽에 하시고
주무시는 일이 잦아져 배도 나오셨다. 혈압도 올라가
셨다.

그런데도 계속 일을 나가신다고 하신다.
그만 나가셨으면 좋겠다고 얘기해도, 그저 당신은 좋
다고만 하신다.
이해가 안 된다. 정말 일이 좋으신 걸까.

결혼할 때가 되어서야 깨닫는다.

몸이 망가지시더라도 자식한테 손 안 벌리고,

내 자식 떳떳하게 장가보내시겠다는 마음으로 일하셨음을.

자신의 몸이 망가지시더라도 말이다.

나는 아버지를 위해서 무엇을 했나.

나도 아버지를 위해서 몸이 으스러져 가도 일을 할 수 있을까.

못난 자식이다.

고생 많으셨어요.

일을 그르쳤어도, 생각처럼 안 되었어도,

당신이 노력했음에

괜찮다, 괜찮다. 이야기해 주고 싶습니다.

- 최 별 -

누군가의 이야기 1

일부러 휴가를 쓰고 평일에 항상 책 한 권을 들고 카페를 찾습니다.
코 끝을 찌르는 진한 커피 향은 기분을 상쾌하게 해줍니다.
언제나 그렇듯 '콜드브루 그란데 사이즈'를 한잔 주문하고 픽업대에 서 있습니다.
콜드브루는 금방 나오니까요.

커피를 들고 나름대로 가장 작은 사이즈의 탁자에 앉습니다.

영업에 방해가 되면 안 되니까요. 그래도 창가 쪽이었으면 좋겠습니다.
밖의 사람들을 구경하며 햇살 맞는 것을 참 좋아하거든요.
오늘은 햇살이 구름에 많이 가려졌지만, 그래도 좋습니다.
평일에는 사람도 적고, 카페 안의 분위기도 평화롭거든요.

직원 분이 바뀌셨네요.
원래는 올림머리를 하시던 분이었는데. 다른 데 취업하셨나 봅니다.

어쨌든 커피를 한 모금 마시고 인증 샷을 찍습니다.
SNS에 책 리뷰를 올려야 하기 때문이죠.
그리고 한 장, 한 장 넘기며 책을 음미합니다.

이번 책은 감성 돋는 에세이군요.

저도 나중에 이런 책을 한번 써보고 싶어요.
하지만 그런 일은 멋진 작가님들이 하는 거니까 저에게는 언감생심일 뿐이죠.

어쨌든 저는 오늘도 카페의 잔잔한 음악을 들으며 책을 읽고,
창 밖을 바라보며 행복한 시간을 보냈어요.
소소하면서도 없어서는 안 될, 제가 가장 사랑하는 시간입니다.

당신의 가장 소중한 시간은 무엇인가요?

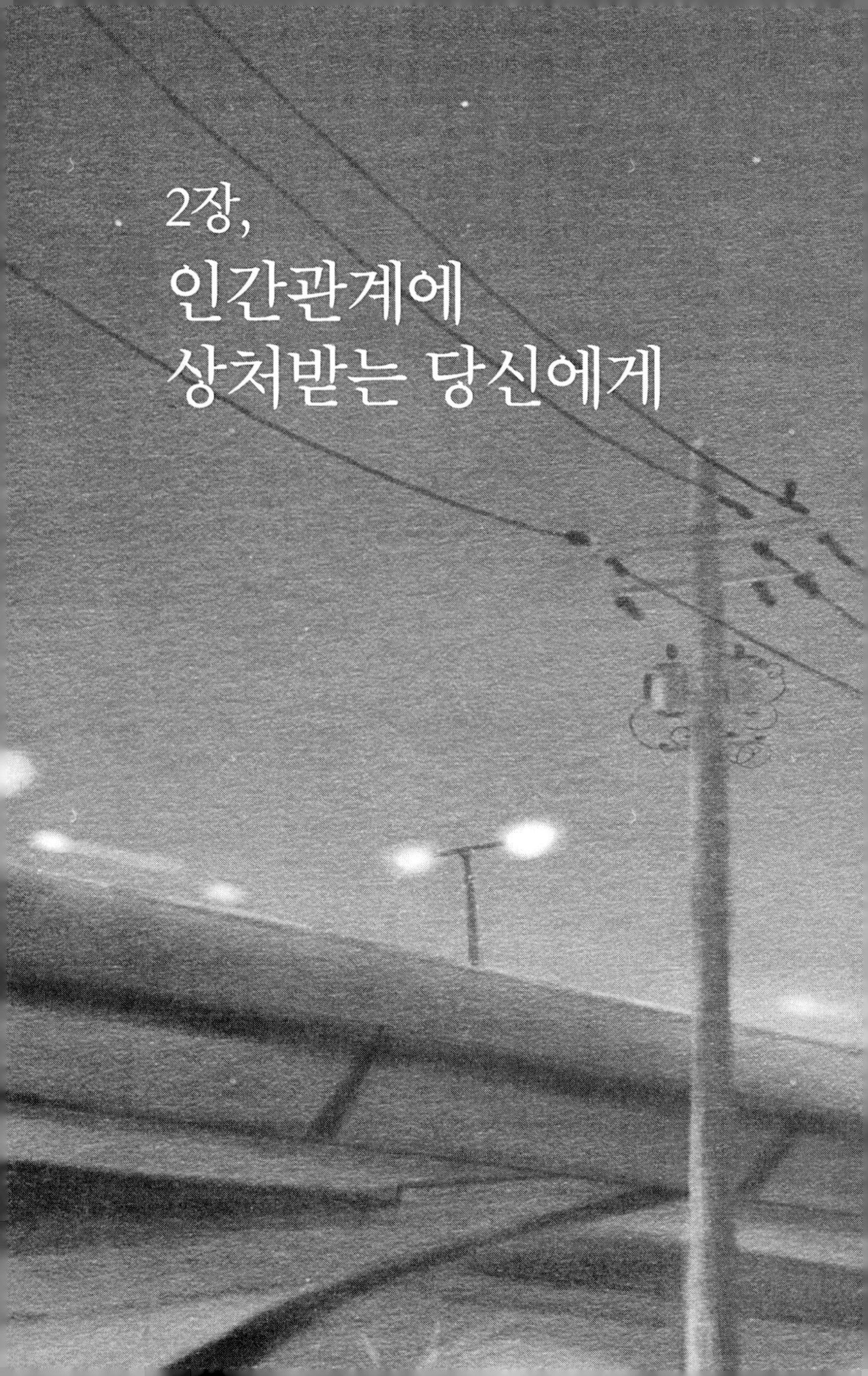

2장,
인간관계에 상처받는 당신에게

자꾸 조언이라며 참견하는 사람들이 있어요.

그냥 가볍게 무시하는 것이 신상에 이롭습니다.

- 최 별 -

서로 다른 사람

사람은 다 다르다.
성격도, 식성도, 사람을 대하는 태도도 다 다르다.
그런 사람들이 지구라는 좁은 공간에서 만나 아웅다웅 살아가니 문제가 발생할 수 밖에.

당신과 마찰을 일으키는 사람들은 보통 성향이 다른 사람일 것이다.
예를 들어 신호등을 건널 때도 차가 없으면
그냥 건너도 된다는 사람이 있는가 하면, 신호를 준수해야 된다는 사람도 있고,
입주했을 때 '떡을 돌려야 된다', '돌리지 않아도 된

다' 등의 사소한 문제로도 마찰을 빚기도 한다.

이런 사소한 것 들로도 다투는데
하물며, 욕심과 질투가 난무하는 세상에서
의견 충돌이 일어나지 않는 것이 오히려 이상한 일이다.

스트레스를 받아가며 이런 사람들과 함께 살아간다.
하지만 그들의 입장에서 보면 우리가 이상한 사람이 되는 것일 뿐이다.
그렇다, 사실 누구의 잘못도 없다. 그저 서로 다른 사람일 뿐이다.
우리는 다른 성향으로, 다른 생각으로 살아갈 뿐이다.

그러려니 해야 한다.
다른 생각을 가지고 있는 사람한테 내 생각을 주입할 필요도 없고
그저 '아~ 저런 사람도 있구나' 하며 넘어갈 줄 알아야 한다.

고치고 싶다는 생각이 들 수는 있다.
나도 가끔은 '아 저 사람 정말 고쳐 주고 싶다. 혼내 주고 싶다.'
그런 생각을 할 때가 있다.

그런데 그럼 나와 다른 사람들을 모두 다 고쳐가며 살아가야 속이 시원할 텐데, 사실 상 애초에 불가능한 일이다.
그래서 그러려니 하고 넘어가는 게 더 나은 것이다.

당신에게 지적질이나 자기 생각을 주입하려고 할 때 우리는 스트레스 받고 상처를 받기 시작한다.
그래서 나는 이렇게 얘기하고 싶다.

당신, 조금 이기적이도 된다.
'상처받지 않을 정도로만 자기 생각을 했으면 좋겠다.'
라고 말이다.

저마다 다들 사정이 있어요.

'틀림'이 아닌 '다름'으로 생각하고 안아 주기를 바래요.

- 최 별 -

가까워도 불편해

사실 정말 친한 친구였던 관계도, 조그마한 틈으로 쉽게 깨지기도 한다.
정말 친하게 대했지만 그 친구에게는 선 넘는 장난이었을 수도 있고,
생각의 차이로 오해를 불러 일으키기도 한다.

말 그대로 친구여도 불편한 것이다.
나와 잘 맞다고 생각한 친구조차 불편한데, 전혀 모르는 타인은 얼마나 불편할까.
재미있는 건 그 사람도 당신을 불편해하고 있을 수

있다는 것이다.

우리는 서로 다를 뿐, 틀린 것이 아니다. 그저 생각의 차이일 뿐이다.
그러니까 스트레스 받지 않았으면 좋겠다.
스트레스 받고 상처받는 것은 다름을 이해하기가 어렵기 때문이다.
사실 본인 만의 기준으로 남의 행동을 이해하는 것은 매우 힘들다.

간단한 예로,
어떤 남자는 직장생활에서 집에 돌아온 후
조용히 앉아서 맥주나 한잔 마시며 TV 보기를 원한다.
하지만 집에 있던 아내는 집에 돌아온 남편의 무심한 태도를 보고 화가 난다.
아내는 남편이 직장생활에서 무슨 일이 있었던 건지,
사랑은 식은 건지, 별의 별 생각을 다하게 된다.

사실 남편은 그저 TV를 보며 쉬고 싶었을 뿐이다.
하지만 피해자는 아내이다.
그런데 남편이 아내한테 잘못했는지 물어보면,
아내 입장에서는 또 그렇다고 얘기하기에는 조금 애매할 것이다.
남편의 입장은 그저 쉬는 것이었을 뿐이니까.
이렇게 입장의 차이가 발생하게 되는 것이다.

이런 불편한 관계 때문에
요즘은 친구도 안 만나고, 연애도 안 하는 사람들이 늘어가고 있다.
하지만 그것은 허전함을 동반한다.

사람은 평생 사랑하며 살아가는 존재이다.
가족과의 사랑, 친구와의 사랑, 연인과의 사랑.
이 모든 사랑이 빠지게 되면 그 사람의 인생은 외롭고 쓸쓸해질 수 있다.

그러므로 당신은 평생 사랑하며 살았으면 좋겠다.
삶이 항상 사랑으로 넘쳐 행복으로 가득했으면 좋겠다.

사람들에게 자신을 끼워 맞추지 말아요.
당신만의 매력으로 충분히 빛나고 있으니까요.

- 최 별 -

인간관계에서 상처받을 때 생각해야 할 것들

1. 당신에게 상처 준 사람보다 당신이 훨씬 더 멋지다.

2. 당신의 잘못이 아니다. 그저 성향의 차이일 뿐이다.

3. 열 받았을 때는 화를 내도 괜찮다. 너무 참으면 건강에 안 좋다.

4. 모두에게 잘 보이려고 애쓰지 말자. 어차피 모든 사람이 나를 좋아할 수는 없다.

5. 잘해줘 봐야 남을 사람만 남는다. 어차피 다 떠나간다.

6. 당신에게 상처를 주는 사람을 불쌍히 여겨라. 어쩌면 그는 열등감을 느끼고 있을 수도 있다.

7. 남 시선에 자신의 기준을 맞추지 말자. 당신은 충분히 매력적이다.

사람들이 뭐라고 하건, 줏대를 지키고 살아야 해요.
당신만의 매력이 가장 아름답고, 고귀한 것이니까요.

- 최 별 -

어디까지 신경 써야 하는 걸까?

살다 보면 애매한 경우가 많다.
특히 경조사 때 어디부터 어디까지 연락을 돌려야 할지,
이 사람은 초대해도 되는지, 안 되는지 고민되는 경우
말이다.
스승의 날이 되면 담임 선생님께만 연락을 드리면 되
는 건지,
아니면 가까웠던 선생님들까지 연락을 돌려야 하는지,
아니면 가깝지는 않아도 안면이 있는 어른들께
연락을 돌려야 하는 건지 굉장히 애매하다.
그러면서 생각한다. '아... 어디까지 챙겨야 하는 걸까.'

사회 생활을 하다 보니 사람들은
"누구는 챙겨야 하고... 누구는 안 챙겨도 되지 않을까."
"나의 비용 안에서 어쩌고 저쩌고..."
말들이 참 많다.

사실 생각해보면 이미 답은 나와있다.
자기가 챙기고 싶은 사람들만 챙기면 된다.
그 외에는 그저 다 허상일 뿐이다.
그러나 당신이 챙기고 싶지 않아도, 사회적인 위치 때문에
챙겨야 한다고 생각된다면 그 상황은 예외라고 전하고 싶다.
이게 무슨 애매모호한 말이냐고?

어디까지 신경 써야 하는지 '범위를 알려 달라' 한다면
필자는 애매모호 하게 말할 수밖에 없다.
기준이 다르기 때문에, 당신의 기준을 모르기 때문에.

그래서 필자는 그런 생각 자체를 하지 말라고 조언하고 싶다.
챙기고 말고가 중요한 게 아니라,
내가 축하 받고 싶다면, 축하해 줬으면 하는 사람들을 초대하면 되는 것이다.
지인의 생일을 챙길지 말지 고민하고 있다면 그냥 챙기지 말아라.

마음이 가는 대로 움직이면 되는 것이다.
내가 하고 싶으면 하는 거고, 하기 싫으면 하지 않는 것이다.

인생을 너무 사회적으로만 살아가면 피곤하고 재미가 없다.
당신이 고민하던 그 사람들은 당신을 신경 쓰지 않는다.
인생은 감성적으로 살아야 한다.
감정의 목소리에 귀 기울이고 가슴이 시키는 대로 살아야 후회가 없다.

당신의 개인생활은 얼마나 사회적 이미지로 물들어 있는가?
일 적인 부분 이외에는 모두 당신의 행복한 삶을 위한 시간이다.
그러니까 가슴이 시키는 대로 살아가고, 사람을 대하라.
그 사람이 싫다면 굳이 만나지 마라. 가기 싫다면 가지 마라.
그 시간에 자신이 좋아하는 일을 하며 나 자신을 토닥여 주고 즐겁게 하자.
남 의식하면서 살다가는, 자기 인생도 못 살고 눈 감는 날이 찾아올 것이다.

필자는 삼 십여 년 간 남을 의식하며 살아왔다.
그러고 나니, 기억에 남는 건 남을 위해 살았던 일 뿐이었다.

당신은 그런 실수를 굳이 할 필요가 없지 않는가?

당신도 그렇게 살아왔다면 오늘부터는 당신을 위해서 살기를 바란다.
당신이 당신답게, 행복하게 살아갈 때, 그 모습만큼 아름답고 멋진 일이 없을 것이다.

남을 위해 살아가도, 혹은 남을 의식하며 살아가도,
사실 세상 사람들은 당신에게 그리 관심이 없다.
안타깝지만 다들 자기 인생 사느라 바쁘다.
물론 그 사람들도 남을 의식하며 살기는 하지만,
그 때문에 더욱 당신이 무엇을 하는지 별로 관심이 없다.

당신에게 관심을 가져주는 사람들은
당신의 정말 친한 친구 3명 정도, 그리고 가족이다.
그 사람들을 위해서라면 모든 것을 바쳐
사랑하고 많은 시간을 할애해도 괜찮다.

그러나 그 외의 사람들은 그렇지 않다.
지인이라고 불리울 사람들과 있을 시간에, 당신이 사랑하는 사람들을 위해서 시간을 보내라.
그것이 훨씬 더 윤택하고 올바르게 살아가는 방법이다.

언제까지 남을 위한 시간과 인생을 보낼 것인가?
오늘? 내일? 한달 뒤?

지금 이 순간부터 당신을 위한 삶을 살기를 바란다.
인생의 주인공은 바로 당신이기에.
당신이 영화의 주인공이기에.
오롯이 당신만을 위해 살기를 바란다.

글이 안 써지는 날도 있어요.

마음에 없는 말을 주저리,

주저리 쓰려고 할 때가 그래요.

그런 글은 쓰레기와 같아요.

공책을 덮고 맛있는 거나 먹는 게 신상에 이롭습니다.

- 최 별 -

특별하지 않은 '노멀 원'

오늘도 새벽 5시30분에 일어나서 출근 준비를 합니다.
회사까지 2시간이나 걸리기 때문입니다.
언제까지 해야 하나 싶다가도 딱히 생각나는 곳도 없어
사랑하는 가족들을 생각하며 지하철에 몸을 싣습니다.

아침 일찍의 지하철은, 만원 지하철 만큼은 아니지만
사람들이 꽤 많습니다.
나이가 많으신 어르신들도 벌써 지하철에 몸을 실으
십니다.
아침부터 바쁘게 사시는 어른들을 보며, 다시금 마음

을 다잡습니다.

하지만 오늘은 정말 회사에 가기 싫습니다.
사실은 어제 팀장님께서 끝내 놓고 퇴근하라고 하신 서류를 다했다고 뻥 쳤기 때문입니다.
오늘 아침에 제출인데, 팀장님께 세탁기처럼 탈탈 털릴 것을 생각하니
벌써부터 눈 앞이 캄캄합니다.

팀장님의 눈 밖에 난지 벌써 2년입니다.
특별히 잘하는 것도 없고, 특별한 기술도 없습니다.
그래서 팀장님은 제가 마음에 들지 않나 봅니다.
무난하게 하라는 것만 하고, 딱히 눈에 띄는 능력이 없기 때문일까요?
팀장님은 부서의 실적을 올려야 하는데, 저는 도움이 되지 않으니까요.
이런 걸 보고 계륵이라고 하나 봅니다.

역시나. 팀장님께 탈탈 털렸습니다.
혼나고 나니 정신이 번쩍 들 줄 알았는데, 또 그렇지는 않습니다.
회사에 몸담은 7년의 세월이 무덤덤함을 선물해줬나봅니다.
아이러니 한 것은 이렇게 혼났는데도 여전히 하기 싫다는 것입니다.
프로젝트 엑셀을 열어 놓고 몰래 카톡을 합니다.
팀장님 욕을 하면서요. 저는 참 쓸모 없는 사람인가봅니다.
그렇게 혼나도 정신을 못 차리는 어린아이 같습니다.

그래도 꾸역꾸역 엑셀을 만들어서 제출하고 나니 점심 때가 되었습니다.
점심을 먹고 커피숍에서 아침의 일을 얘기하면서 화를 풉니다.
동생들은 다 제 편이 되어 하나 같이 욕을 해줍니다.
사실, 동생들도 사회생활을 하고 있을 뿐이란 걸 압니다.

제가 팀장님한테 그랬던 것처럼, 동생들도 제 눈 밖에 나지 않으려고
열심히 제 말에 동조하고 있을 뿐입니다.

정말 힘듭니다.
사회 생활도, 살아가는 것도, 이렇게 힘들게 살아야만 하는 것일까요.
동생들의 말이 진심이 아니라는 걸 알면서도, 저는 화가 누그러집니다.
그 중에서도 제 말에 동의해 주고 공감을 많이 해 주는 동생이 참 예뻐 보입니다.

저도 그냥 꼰대 중의 하나인가 봅니다.
옛날에는 그렇게 꼰대가 되지 말자고 했는데,
나이를 먹어보니 그것이 얼마나 어려운 일인지 체감합니다.

회사에서 오후를 보내고 집에 왔습니다.

손에는 포장한 광어회와 소주가 들려 있습니다.
일주일에 두 번은 술을 먹습니다.
하루는 직장 일 때문에 스트레스 받아서,
하루는 금요일이라 행복해서 먹습니다.

광어 회 한점과 소주를 한입에 털어 넣으며 또 후회합니다.
나는 왜 회사에서 인정을 받지 못하는지, 내 능력은 왜 이거밖에 되지 않는지,
언제까지 이렇게 술에 의지해서 살아야 하는지,
여자친구는 언제 사귈 수 있는 건지
한탄하며 말입니다.

좋아하는 일은 무엇이었는지 생각해봅니다.
내가 좋아하는 일은 뭐였지?
머리가 아픕니다. 좋아하는 일도 딱히 없습니다.

머리로는 정리가 안돼서 펜을 들고 공책에 써봅니다.

내가 어디에 있는 건지, 좋아하는 건 뭔 지.
내 인생은 언제부터, 이렇게 보통 혹은 그 이하의 삶을 살아가고 있었는지,
내 장대했던 꿈들은 다 어디로 갔는지.
고민하며 써 내려갑니다.

그런데 글로 써보니까, 제가 좋아하는 게 있긴 있었습니다.
사랑, 연애, 철학, 고민 들어주기, 심리상담, 감정 파헤치기 같은 것들이요.
그렇지만, 저는 이런 것들로 돈을 벌 수는 없습니다.

심리상담은 심리상담사 자격증이 있어야 하고, 철학은 철학과를 나와야 할 것 같습니다.
저는 그 무엇도 아닙니다.
그래도 사람들의 고민을 들어주고, 공감해주고, 철학적인 생각도 하고 싶습니다.
사랑도 하고, 연애도 하고 싶습니다.

글로 쓰다 보니 재미가 있습니다. 사람들이 제 글을 읽어 주었으면 좋겠습니다.
해볼까요? 글쓰기요.
돈을 벌 수 있는 건 아니지만
글로 사랑, 연애, 감성, 철학, 인생, 심리상담을 쓰면 재미있지 않을까 생각해 봅니다.

사람들이 제 글을 읽고 힘을 내고, 공감하고, 마음이 치유되었으면 좋겠습니다.
저는 작가도 아니고 문과 출신도 아닙니다.
글은 잘 모르지만, 사람들에게 힘이 되고 공감을 줄 수 있다면
그 것만으로 만족할 수 있을 것 같습니다.

어디에 글을 올릴까 하다가 인스타그램을 켭니다.
그리고 사람들에게 도움이 되고 힘이 되는 글을 쓰기 시작합니다.

사람들이 힘을 얻는다고 댓글을 달아줍니다. 기분이 좋습니다.
처음으로 저의 존재가 자랑스럽다는 생각이 듭니다.
사람들이 저로 인해 힘을 얻기 시작했으니까요.

저는 특출 난 능력은 없지만 그렇다고 많이 뒤처지는 사람도 아닙니다.
그런데 제가 글을 쓰면 사람들이 좋아해줍니다. 이제서야 행복합니다.
오늘도 글을 쓰고, 내일도 글을 쓸 겁니다.
작가가 된 것 같은 환상에 빠집니다. 그러나 항상 겸손하게 생각합니다.
실제로 작가는 아니니까요.

그저 사람들하고 소통하며 글로 공감을 얻고
힘을 얻으신다는 모습을 보니 기분이 좋습니다.

어느 날, 한 출판사에서 연락이 옵니다.

"올리는 글들이 마음에 드는데 책으로 내실 생각이 있으신가요?"

사기 일 것 같습니다. 책을 내준다고 하고 돈을 내라고 할 것 같습니다.

저는 그렇게 호락호락하지 않습니다.

"에이, 아닐 거야, 뭔가 있겠지. 뭔가 있을 거야."

생각을 해봅니다.

책이 나와서 더 많은 사람들이 위로와 행복을 얻는다면 그것만큼 보람된 일이 있을까?

나의 존재 가치는 사람들에게 도움이 되는 것인가?

"까짓 거 한 번 써보지 뭐. 돈 내라고만 안 하면 안 쓸 이유도 없잖아?

진짜 책이 나와서 더 많은 사람들이 위로와 행복을 얻는다면 진짜 행복하겠다."

뭘 써야 하지. 고민스럽네.

아니다. 책은 내 가슴이 말하는 것을 써야지.

마음에도 없는 말을 짜내는 것은 거짓말과 똑 같은 거잖아.

그래. 마음이 시키는 글을 쓰자.

제목은 사람들에게 가장 하고 싶은 말을 써야겠다.

사람들이 항상 행복하게 살아갔으면 좋겠는데.

그래. 그러면 '아프지 말고 행복하게 잘 살아갈 것' 이걸로 해야겠다.

진짜로 책이 나올까?

에이, 모르겠다. 밑져야 본전이잖아.

그래도 사람들은 행복하게 살았으면 좋겠다.

사람들이 행복하다면 나도 행복할 테니까.

내가 행복하지 못해도 사람들이 행복하다면,

그것 만으로도 의미 있는 일일 테니까 말이야.

아버지의 철학

- "아들, 요새 회사생활 하느라 힘들지? 남의 돈 버는 게 쉬운 게 아니더라.
간 쓸개 다 빼 줘야 쥐꼬리만 한 월급이 들어오는 게 회사 생활이더라."

- "아빠는 아들이 스트레스 안 받고 행복하게 살았으면 좋겠어.
일이 힘들면 그만둬도 돼. 하기 싫은 일은 하지 않아도 된다.
우리 봉양하려고 신경 쓰지 말아라. 엄마 아빠는 알아서 노후준비 할 거니까."

- “너는 네 인생살아.
아빠는 여태까지 장모님 모시고 너희 엄마를 위해 살다 보니 어느새 늙었더라.
너는 그럴 필요 없어. 그냥 너 하고싶은 거 하고 행복하게 살아.
돈은 중요하지 않아. 돈은 필요할 때 또 열심히 벌면 돼.”

- “아들은 생각이 많아서 이것저것 여러가지 생각하고 가능성을 따지지만
사실 그런 것보다 그냥 편안하고 행복하게 사는 게 최고야.”

- “아프지 말고 행복하게 살으렴, 항상.
엄마 아빠 보러 안 와도 된다. 그냥 너의 인생 살면 돼.
아빠는 항상 응원해. 우리 아들이 아프지 않고 행복하게 살기를. 사랑해 아들.”

세상에 뭔 그리들 명언이 많은지, 참 헷갈립니다.

당신이 마음속으로 하는 그 말이

당신에게는 가장 좋은 명언입니다.

- 최 별 -

인간관계 처세술

참 많은 사람들이 있습니다.
이런 사람, 저런 사람, 이기적인 사람, 이상한 사람,
나쁜 사람, 도저히 이해가 안 되는 사람 등등
이 많은 사람들하고 살아가려니 너무나 머리가 아
픕니다.
저와 같이 눈, 코, 입을 가지고 있는 사람들인데, 어쩜
이렇게 성격이 다 다른지. 힘들고 지칩니다.

한때는 그들을 짓누르려 하기도 하고, 이해하려고 하
기도 했습니다.

그런데 아무리 짓누르려 해도 짓눌리는 건 제 마음뿐이었고
이해하려고 해보아도 도무지 안 되어 화만 났습니다.
그 사람은 전혀 변하지 않았고, 그저 저만 화가 날 뿐이었습니다.
그리고 깨달습니다.
"무시가 답이구나."

저는 당신을 힘들게 하는 사람들을 무시하라고 얘기하고 싶습니다.
물론 사전적으로 좋은 의미는 아니지만, 저는 당신이 힘들지 않기를 바랍니다.
당신이 힘들지 않고, 아프지 않기를 바랍니다.
그래서 그 사람이 뭐라고 하던 한 귀로 듣고 한 귀로 흘렸으면 좋겠습니다.

열 받게 하는 사람은 피해버리고, 아프게 하는 사람은 만나지 말았으면 좋겠습니다.

도망가서 비겁하다고요?
그럼 비겁해 지십시오.
그로 인해 벗어날 수 있다면 저는 그것을 응원하겠습니다.
인간관계에 있어서는 도망가는 것이 당신에게 행복을 줄 수 있습니다.
그 사람을 바꾸려고, 고치려고, 이해하려고 노력해봐야 당신만이 힘들고 아플 뿐입니다.
도망치고 신경 쓰지 마십시오.

그리고 사랑하는 사람들을 만나세요.
당신이 좋아하고, 당신을 웃게 만들어 주는 사람들을 만나 행복하게 살아가세요.
사랑하는 사람들에게 잘 해주기에도 우리의 인생은 짧습니다.

나는 당신이 언제나 웃으며 행복하게 살기를 바랍니다.
당신은 이 세상에서 가장 소중하고 멋진 존재거든요.

살다 보면 이런 일 저런 일 다 있지만

정말 이해하기 힘든 경우도 있습니다.

그럴 때는 "아, 모르겠다!" 해버리는 게 속 편합니다.

- 최 별 -

사람 대할 때 조심해야 할 것

1. 항상 말을 조심해라.

   몸의 상처는 낫지만 마음의 상처는 쉽게 낫지 않는다.

2. 자기 자신을 돌아보자.

   저 사람이 나빠 보이지만 사실 나도 나쁜 사람일 수 있다.

3. 지키지 못할 말은 하지 말자.

   가벼운 사람이 되는 지름길이다.

4. 이유 없이 돈 쓰는 사람을 조심해라.
   세상에 공짜는 없다.

5. 머리 말고 가슴으로 사람을 대하라.
   그 사람도 느낀다. 당신이 진심인지 아닌지

6. 항상 느긋한 마음을 유지하자.
   여유 있는 사람은 누가 봐도 함께하고 싶다.

7. 백 마디 듣고 백 번 끄덕여 주고 한 마디만 조언하라.
   해결책 보다는 공감이 우선이다.

누군가의 이야기 2

나는 지금 뭘 하고 있는 걸까.

겨우 성공한 취업으로, 돈은 벌고 있는데.

참 재미가 없네. 원래 인생이 이렇게 재미가 없나.

어릴 때는 하고 싶었던 일들이 참 많았는데.

어른이 되고 나니 왜 이렇게 획일적인 인생만을 살아야 하는 건지.

부족하지는 않지만 그렇다고 여유 있는 것도 아니고.

일하는 재미도 없고, 다들 이런 건가.

나는 어디서부터 잘못된 거지. 다들 이러고 사는 걸까. 재미는 잊은 지 오래, 돈을 위해 아등바등 살아가는 걸까.
그렇게 살다가 늙어가는 걸까. 뭔가 재미난 일은 없는 걸까.
그냥 이렇게 살다 죽는 걸까. 남들도 이런 고민을 하며 살아가는 걸까.

3장,
사랑으로 상처받은 당신에게

애매하게 행동하는 사람한테 마음 줄 필요 없어요.
그 사람은 당신을 딱 거기까지만 생각하는 것이에요.

- 최 별 -

사랑에 아프고, 힘들었던 당신

사랑에 웃고 울고, 지겹습니다.

사랑이라는 놈. 언젠가 홀연히 떠나버리더니 또 다시 계절을 지나 찾아옵니다.

봄은 꽃피어서,

여름은 푸르러서,

가을은 외로워서,

겨울은 고독해서,

매 순간이 사랑의 연속입니다.

예쁘고 아름답게만 사랑할 수는 없을까요.

우리의 사랑이 아름답고 매일 행복할 수는 없는 걸까요?
매 순간 사랑하고, 이별하고, 다시는 만나지 않겠다고
마음가짐을 갖지만
또 다시 사랑을 찾고, 상처받고. 얼마나 반복했는지
모릅니다.

아프고, 또 아플 사랑은 이제 그만하고 싶습니다.
당신도 그러하기를 바랍니다.
힘들고 아픈 사랑은 그만, 행복하고 설레는 사랑만이
가득했으면 좋겠습니다.
여태까지 아픈 사랑을 했기에, 그다지 좋은 사람을 만
나지 못했기에,
이제부터 당신의 인생에는 좋은 사람이 함께 했으면
좋겠습니다.
좋은 사람 곁에는 좋은 사람이 함께하는 법이니까요.

당신이 먼저 멋진 사람이 되기 위해 노력할 필요는
없습니다.

이유 없이 당신은 멋지고, 또 아름답습니다.

그저 당신의 고귀한 매력을 잃지 말고 세상을 헤쳐 나갔으면 좋겠습니다.
사람들이 그 매력을 알아줄 때까지, 줏대를 가지고 사랑하며 살았으면 좋겠습니다.

우리는 평생을 사랑하며 살아가는 존재입니다.
사랑이 없다면 그저 인생을 오롯이 살았다고 이야기하기 어려울 것 같습니다.
사랑이 없는 인생은 죽음과 다름없기 때문입니다.

나는 당신이 언제나 사랑하며 살기를 바랍니다.
연인과의 설레는 사랑, 가족 간의 끈끈한 사랑,
친구와의 애정 깊은 사랑, 당신을 사랑하는 자기애까지
항상, 매 순간 사랑하며 살았으면 좋겠습니다.

사랑에 웃고, 사랑에 울고,

지겹다, 사랑이라는 놈

- 최 별 -

힘들 수밖에 없는 이유

사랑을 하다 보면 참 힘든 일이 많습니다.
왜 그렇게 힘든 지 문득 생각해보면 성격이 달라서,
가치관이 맞지 않아서,
마음이 변해서, 내 스타일이 아니어서 등 여러가지 이유가 있습니다.
서로 사랑해서, 행복하고 싶어서 함께하기로 했는데
오히려 이런저런 이유로 안 좋을 때가 더 많은 것입니다.
당신은 그런 부분에서 아팠을 것 같습니다.

많이 힘들었을 것 같습니다.

당신의 행복을 위한 사랑이 오히려 불행하게 만들었으니 말입니다.
처음의 설렘은 없고 그저 의무감과 책임감만 남아
겨우 유지하고 있을 뿐이네요.

그래도 나는 당신의 그런 모습도 응원하고 싶습니다.
당신이 사랑을 위해 노력하고 있다는 것 자체만으로도 멋지고,
배울 점이 많다고 얘기하고 싶습니다.

아쉽게도 시간이 지나면 설레이던 감정이 사라지고
어느새 익숙함이 자리잡을 때가 있습니다.

그러다 보면 잘 보이려고 했던 자신의 모습은 제쳐 두고
본래의 성격과 행동으로 마찰을 일으키지요.
서로 다른 환경에서 자라온 두 사람은 싸우고, 아플 수밖에 없는 것입니다.

우리는 이 사랑을 좀 더 발전시킬 수 없을까요?
시간이 흐른 뒤에는 그저 책임감과, 사명감으로써 그 사람을 만나야 하는 것일까요?

우리는 사랑에 대해 좀더 깊게 생각해 볼 필요가 있습니다.
사랑이라고 하면 흔히들 설레는 사랑을 생각하는 경우가 많지만,
사실 진정한 사랑은 정말 깊이 그 사람을 생각하고 배려하는 것이라고 말하고 싶습니다.

시간이 지나도 변하지 않는 것이 아니라,
시간의 흐름에 따라 자연스럽게 변화함을 인정하고 서로 동반자적 사랑으로 함께하는 것,
서로의 행복을 존중해주는 것이 깊은 사랑의 의미가 아닐까 합니다.

하지만 대부분은 설레는 사랑에서 동반자적 사랑으

로 넘어가지 못하고
변화하지 못하기 때문에 사랑으로 아파하고 힘든 것입니다.

이별은 너무 아프지만, 그래도 힘내요.

헤어짐은 또 다른 사랑의 시작을 뜻하거든요.

- 최 별 -

이별한 당신에게

무손 말이 필요할까요. 어떤 말로도 당신에게 위로는 되지 않을 겁니다.
당신의 아픔에 그저 옆에서 묵묵히 지켜주고 싶은 마음입니다.
가슴이 아파 숨쉬기도 힘들고, 당신이 할 수 있는 것이 아무것도 없기에
이별은 너무나 가슴 아프고 힘듭니다.

야속합니다. 어떻게 그냥 가버릴 수 있는지.
뒤도 돌아보지 않고 떠날 수 있는지 정말 잔인합니다.

당신은 아직 이별할 준비가 되어있지 않은데,
그 사람은 옛날부터 준비해왔나 봅니다.

떠난 사람의 눈에 슬픔이 가득하지만, 사실 슬픔을 위장한 동정일 뿐입니다.
그냥 미안함밖에 남지 않은 눈빛이 보이네요.
사랑이 뭐길래 이렇게 당신의 가슴을 아프게 하는지 모르겠습니다.

그럼에도 힘을 내기를 바랍니다.
이별은 또 다른 인연의 시작이기 때문입니다.

많이 아팠던 당신이기에,
사랑에 최선을 다했던 당신이기에,
행복하게 사랑할 자격이 충분하기에.

당신의 앞날에 좋은 사람이 함께할 것입니다.
미래의 인연이 함께 할 때 당신이 슬픔에 차 있지 않

도록,

새로운 인연에게 행복과 사랑을 가득 줄 수 있도록

지금의 당신을 보듬고, 안아 주기를 바랍니다.

가을이 다가오네요.

당신의 사랑도 곧 다가오겠네요.

- 최 별 -

C 군의 이야기

오늘도 저는 밤 산책을 합니다.

생각이 많은 날에는 산책을 하며 머릿속을 정리하는 게 위안이 되거든요.

얼마 전, 이별을 경험했습니다.

저는 아직 준비가 되어 있지 않은데 그냥 통보를 당해버렸죠.

마음이 아프고 너무 힘들었지만, 잡으려고 노력했지만, 별 다른 수가 없었습니다.

이미 그녀는 저를 마음 속에서 지운 상태였으니까요.

그렇게 저는 할 수 없이 그녀를 잊어갑니다.
그래도 참 사람이 간사한 것이,
시간이 지나면서 아픔이 조금씩 줄어들기는 하더군요.
그때는 정말 그녀가 아니면 안될 것 같았는데, 어느새 무뎌진 저를 봅니다.

제가 다니는 산책 길은 참 행복합니다.
옆에는 풀 숲이 우거져 있고
유치원생 딸과 아들을 데리고 나온 가족을 보면 저절로 미소가 지어집니다.
행복한 사람들을 보며 웃는 것은 공짜이기에, 저는 마음 놓고 미소를 짓습니다.
부럽습니다. 저도 저런 예쁜 가정을 이룰 수 있을까요?

어느덧 내년이면 벌써 서른입니다.
이제는 예전처럼 하나만 좋다고 만나는 것이 두려워지는 나이가 되었습니다.
저는 아직 결혼 생각이 없는데 주변에서는 하나 둘

결혼을 하고,
부모님도 은근히 결혼을 바라시는 눈치입니다.

생각해보면 저의 20대는 그렇게 외롭지 않았습니다.
여자친구를 만나는 것이 크게 문제는 되지 않았기 때문에
사귀고, 헤어지기를 반복했던 것 같습니다.
매 순간 사랑에 최선을 다했습니다.
저의 여자 친구이기 때문에 제가 책임져야 하고,
사랑하는 동안에 그 사람에게 모든 것을 바쳐야 한다고 생각했기에
저는 항상 책임을 다했습니다.

그런데 오늘, 걷다가 문득 깨닫습니다.
최선을 다하는 것과 진정한 사랑을 만나는 것은 차이가 있다는 것을.
저도 영화처럼 운명적인 사람을 만나 운명적인 사랑을 하고 싶다는 생각을 합니다.

여태까지의 사랑이 가벼웠던 것은 아닙니다.
그렇지만 편안함 보다는 그저 사랑을 위한, 열정적인 사랑의 성격이 조금 더 강했던 것 같습니다.

이제는 여러가지 '연애학개론', '연애 고수의 비법', '고백에 성공하는 방법' 등등
이런 것으로부터 자유로워지고 싶습니다.
그저 마음 맞는 사람과 신경 쓰지 않고
행복하게 연애하고 사랑하고 싶다는 생각이 듭니다.
꿈 같은 이야기일 수도 있지만 신경 쓰지 않음에도
행복할 수 있다는 것을 느껴보고 싶다는 생각이 듭니다.

그렇게 걷고 또 걷습니다. 전화 벨이 울리네요. 회사 동료 형입니다.
여자 소개를 받지 않겠냐는 전화였습니다.
사실 저는 소개팅을 별로 좋아하지 않습니다.
소개받는 사람한테 상처주기도, 상처받기도 싫기 때문입니다.

너무 좋은 사람이라고 만나보라는 형의 말에 그냥 체념하고 일단 알겠다고 합니다.
그 흔한 사진도 받지 않습니다. 사실 소개팅에 크게 기대를 하지 않거든요.

당일이 되어 그녀를 만나러 갑니다. 멀리서 그녀가 걸어오네요.
살짝 고개 숙이며 인사하는 모습이 수수하면서, 또 순수하고 예뻐 보입니다.
같이 저녁을 먹으며 이야기를 나눕니다. 생각보다 괜찮습니다.
편안하고, 일부러 웃기지 않아도 이 여자는 저한테 잘 웃어주고 즐거워합니다.
가식으로 보이지는 않습니다.
설령 가식이라고 할지라도 저를 존중하는 마음이 예뻐 보입니다.

괜찮습니다. 그녀가 저를 편안하게 해주고 제가 찾던 그녀일 수도 있다는 생각이 듭니다. 그녀는 어떤 지 모릅니다. 그렇지만 오늘 저는 그런 것을 신경 쓰고 싶지 않습니다.
이 사람과 꼭 사귀어야 한다, 이 여자 놓치면 안 되겠다 그런 생각 자체가 들지 않습니다.
그저 이 사람과 있을 때 행복하고, 즐겁다.
오늘 이 시간이 멈췄으면 좋겠다. 그런 생각만 듭니다.

운이 좋았던 건지 모르겠네요.
그동안 아팠던 저에게 신이 선물을 내려준 건지는 모르지만
어쨌든 전 오늘 행복합니다. 그저 행복하고 편안합니다.
이 사람이랑 평생 함께 하고 싶다는 생각이 듭니다.
내일 또 볼 수 있기를 희망합니다.

사랑하는 사람과 밥을 먹고, 카페를 가고,

일상적인 얘기를 나누는,

그런 소소한 사랑을 당신이 하기를 바랍니다.

- 최 별 -

L 양의 이야기

어느덧 남자친구와 헤어진 지 2년이 넘었습니다.
임용고시를 준비하던 저를 기다려주던 남자친구와
결별하고 공부에 집중했습니다.
미안했지만 어쩔 수 없었습니다.
기다려 주던 남자친구도, 저도 너무 힘들었기에
서로의 길을 달리 할 수밖에요.

그래서 더 열심히 공부를 했습니다.
두 번의 고생 끝에 합격을 하고 발령 대기중에 있습니다.
이제는 곧 출근도 할 것이고, 더 늦기 전에

새로운 사람을 만나야겠다는 생각이 듭니다.
언제까지나 혼자 지낼 수는 없으니까요.

사실 저는 깊게 사랑을 해본 적이 없습니다.
함께했던 남자들을 보면 절 좋아해줘서 만났었던 건 맞지만
제가 꿈꾸던 드라마틱한 사랑은 아니었습니다.
그런 일은 현실적으로 불가능한 일인가 봅니다.
그냥 이렇게 살다가 나이 먹고 마음 맞는 사람과
결혼하는 것이 최선이라는 생각이 듭니다.

오늘도 영화를 봅니다.
로맨스 코미디를 보며 스트레스를 풀거든요.
로맨스 코미디물은 해피 엔딩이 많습니다.
제 인생이 해피 엔딩일지 새드 엔딩일지는 모르나 세상은 아직 살 만하다는 생각이 듭니다.
저는 아직 젊으니까요.

카톡 알람이 울려서 보니 대학교때 알던 친구가 보낸 메시지였습니다.
학생회도 하고 아는 사람이 많은 친구였는데 많이 친한 건 아니었습니다.
저는 좀 조용한 편이었거든요. 남자 소개를 받아보지 않겠냐고 연락이 왔네요.

사실 저는 자연스럽게 만남을 추구하는 편입니다.
사람을 오래 관찰하고 신뢰와 믿음이 가야 마음이 가는 편이어서
소개팅은 좀 회의적이었죠. 그래서 받지 않겠다고 했습니다.
남자가 급한 것도 아니니까요.
그런데도 정말 좋은 사람이라고 한 번만 만나보라고 계속 권유하길래 일단 알겠다고 하고 연락처만 받아 놓습니다.

세상에 좋은 남자라고 하는 남자 중에 좋은 사람 본

적이 없습니다.
그냥 좋은 사람인 척하는 가면을 쓴 남자들일 뿐이었죠.
좋은 사람 인척 다가와 놓고 마음 주고 나면 결국 변해버리는
다 똑같은 남자 뿐이었습니다.

만나기로 한 약속 당일 나가고 싶지는 않았지만,
친구의 체면을 봐서 주섬주섬 원피스를 입고 나가기로 합니다.
사실 원피스는 예뻐 보이려고 하기 보다는
편하게 입을 수 있고 많이 먹을 수 있기 때문에 입는 편이죠.

저 멀리 그 남자가 보이네요.
잘생긴 건 아니지만 웃으면서 저를 맞이하는 모습이 훈훈해 보입니다.
말투에서 느껴지는 매너와 배려심이 잘 느껴지는 사람입니다.

제가 궁금해서 툭 던진 질문에 당황해 하며 땀을 삐질 흘리는 것도 왠지 귀여워 보입니다.
남자가 귀여워 보이면 답이 없다던데, 제가 오랜만에 남자를 만나서 그런 걸까요.
그 분은 술이 싫으면 안 마셔도 된다고 하면서 먹지 말라고 합니다.

자신의 어필보다는 제 이야기를 많이 들어주는 사람입니다.
저도 모르는 새에 대학교때 이야기, 유치원 교사 생활, 수험생 생활 얘기 등등
많은 이야기를 하고 있었습니다.
순간 선수 같다는 생각이 들어 조심하려고 하는 순간 또 다시 코에 땀을 삐질 흘리는 그 사람을 보며 귀엽다고 느끼게 되었습니다.

이 사람은 진짜일까요?
말로만 사랑한다 하고 마음 주면 떠나는 그런 남자는

아닐까요.

잘 모르겠습니다. 사실 경험해보지 않고 서는 알 수 없는 일이라

이 남자가 좋은 남자인지 아닌지는 모릅니다.

그래도 오늘만큼은 이 사람과 보내는 시간이 행복합니다.

이런 모습으로 나를 평생 대해 준다면

나는 이 사람에게 무한한 신뢰와 믿음으로 보답하고 싶다는 마음이 듭니다.

무엇보다 함께 이야기를 할 때 대화가 잘 통하고

몸에 밴듯한 배려심이 나올 때 저도 모르게 이미 이 사람에게 매료되어 있었습니다.

한 번 더 만나보고 싶어졌습니다.

친구가 말한대로 정말 좋은 사람인지도 모르겠습니다.

사실 이미 이 사람이 좋아졌습니다. 하지만 들키지 않

으려 애써 노력 중입니다.
나중에 제가 또 상처받을지도 모르니까요.
이 사람이 저를 우습게 보면 안 되니까요.
도도한 척하며 이 사람을 살펴 봐야겠습니다.

좋은 사람이었으면 좋겠습니다.
제가 모든 것을 이야기해도 다 들어주고
이해해줄 수 있는 그런 사람이었으면 좋겠습니다.

이 사람이 그런 남자이기를 바래 봅니다.

사랑이 매력적인 이유는 완벽할 수 없다는 거에요.

계속해서 노력해야 하기에

사랑이 아름다운 건 아닐까요.

- 최 별 -

좋은 사람과 나쁜 사람

흔히들 하는 말, '좋은 사람 만나고 싶다.' 이야기를 많이 합니다.
좋은 사람을 만나려면 자신이 먼저 좋은 사람이 되어야 한다고 얘기하면서요.
좋은 사람은 이런 사람입니다.

1. 자기보다 당신을 위해 시간을 더 많이 쓰는 사람

2. 변치 않는 사랑을 말로 하기보다 실천으로 행하는 사람

3. 기념일이 아니어도 꽃 한송이 사다 줄 정성이 있는 사람

4. 자신의 잘못을 인정하고 뉘우치고 책임을 지는 사람

5. 밥은 먹었는지, 기분은 어떤 지, 별일은 없었는지 일상적인 것들을 챙겨 물어보는 사람

정성과 배려가 가득한 사람에게는 여유와 기품이 있습니다.
반대로 나쁜 사람은 이런 특징이 있습니다.

1. 당신과는 시간을 보내지 않으면서 다른 지인들과 약속을 잡는 사람

2. 앞에서는 사랑한다고 이야기하지만 뒤에서 비열한 짓을 꾸미고 있는 사람

3. 지키지도 못할 약속을 남발하는 사람

4. 당신에게 돈을 쓰는 것을 아까워하는 사람

5. 대화를 하지 않고 그저 자신의 주장만 내세우며
싸우려고 하는 사람

나쁜 사람하고 연애를 하고 있는 건 아닌지 다시 한
번 생각해 볼 필요가 있습니다.
당신이 생각했을 때 그 사람이 나쁜 사람이다 라는
생각이 들면
가차 없이 차버리는 게 낫습니다.
그래야 당신의 인생이 행복에 가까워질 것이며, 좋은
사람을 만날 기회를 갖게 될 것입니다.

좋은 사람은 생각보다 멀리 있지 않습니다.
내 주변에 가까이 있는 좋은 사람들을 찾아보면, 생각
보다 많은 사람들이 눈에 들어옵니다.

너무 멀리서만 찾으려 하지 마세요. 인연은 항상 가까이에 있거든요.

왜 그런 사람을 만나는 건지 이해가 안 되네요.

나쁜 남자랑 나쁜 자식은 다른건데요.

- 최 별 -

두 번의 실수

당신이 전에 만났던 사람은 좋지 못한 사람일 수도 있다.
소위, '나쁜 남자'와 '나쁜 자식'을 구분하지 못해
상처받은 경우이다.
어떤 이유에서던, 당신이 아팠을 것이다.

아픔은 당신의 잘못이 아니라
어쩔 수 없는 상황 때문이었을 것이라고 얘기해 주고 싶다.
당연하게도 다시는 만나지 않겠다 다짐하지만

우리는 같은 실수를 반복하는 존재들이다.

이상하게도 전에 만났던 사람하고 다른 사람을 찾겠다고 하지만
우리의 본성은 좋아하는 부분이 달라지지 않기 때문에
비슷한 사람에게 끌리게 되는 것이다.
그래서 자신이 생각하기에 나쁜 사람을 만났음에도
또 나쁜 사람을 만나 상처받게 되는 경우가 생긴다.

'한 번은 실수이고 두 번은 잘못이다' 이런 말이 있다.
그런데 나는 그 말에 동의하지 않는다.
사람의 감정은 일이 아니다.

일은 딱 부러지게 이건 실수 저건 잘못 나눌 수 있지만
사람 마음 만큼은 무 자르듯이 나눌 수 없다.
인간만이 느끼는 사랑이라는 복잡한 감정을
감히 정의하려는 것 자체가 주제 넘는 일일 수 있다.

자신의 마음을 자기가 제어할 수 있다면 좋겠지만 우리는 그러지 못한다.
당신이 똑같이 나쁜 사람에게 빠졌다고 해서 자책할 필요 없다.
당신의 잘못이 아니다. 그저 당신이 좋아하는 사람의 성향이 그런 것 뿐이다.
나쁜 사람한테 계속 당했다고 자신에게 문제가 있다고 자책하지 말라.
아프게 한 사람이 잘못이지 당신에게는 아무 잘못이 없다.

언젠가 당신에게도 좋은 사람이 함께할 것이다.
그때 잘해줄 수 있도록 자신을 성장시키면 된다.
나쁜 사람이 함께 했다고 당신을 고치려 하지 말자.
그저 자신을 토닥여주고 걷던 길을 열심히 걷자.

그것 만이 당신을 나쁜 사람으로부터 멀리하고
행복으로 함께할 길을 열어줄 것이다.

예쁜 얼굴보다는 순수한 마음을 가진,

내숭보다는 사람 냄새나는,

나는 그런 사람이 좋더라.

- 최 별 -

예쁘게 사랑하기 위한 방법

하나. 어차피 나중에 화해할 거, 얼굴 붉히며 싸우지 말자. 대화로도 충분히 해결할 수 있다.

둘. 남자에겐 존중을, 여자에게는 배려를 잊지 말자.

셋. 사랑하는데 갑과 을을 따지지 말자. 그저 예쁘고 아름답게 사랑하면 그만이다.

넷. 오해가 생기면 끙끙 앓으며 타인에게 조언을 구하지 말고 상대방에게 직접 물어보라. 사람의 생각은 귀신도 모른다. 지인한테 물어봐 봐야 아무 쓸모가 없다.

다섯. 사랑을 시작하며 이별할 것을 걱정하는 건 바보 짓이다. 사랑할 때는 이별 같은 거 생각하지 말고, 정열적이고 뜨겁게 사랑하라.

여섯. 과한 걱정을 하지마라. 인연이라면 어떻게 해도 잘 되고, 아니라면 어떻게 해도 안 된다. 그 사람과 당신이 차이가 있다는 말은 어딘가 당신과 같은 연애관을 가진 사람도 있다는 것이다.

어머니의 말씀

아들, 엄마는 어릴 때 연애를 못 해봤어.
그래서 아빠 만나서 결혼한 게 첫번째 연애야.
아무것도 모를 때 아빠한테 홀려 결혼했지 뭐야.

엄마도 참 순수했어.
그때는 너희 아빠 담배 냄새도 향긋했고 아빠의 샤프한 턱도 너무나도 멋있었지.
연애하던 시절에는 정말 모든 게 아름답고 멋질 것만 같았어.

결혼해서 살아보니까 결혼은 현실이라는 말이 진짜더라.
엄마는 지금도 너희 아빠를 사랑하지만
길고 긴 세월을 함께 하다 보면 설렘 보다는 끈끈한 동반자가 되는 느낌이야.
물론 너희 아빠가 엄마를 화나게 할 때도 있고,
정말 이해하지 못하는 행동을 할 때도 있지만
그것마저 안아줄 수 있는 넓은 마음으로 아빠를 이해하려고 해.

엄마도 결혼 전에는 짧은 치마도 입고 멋진 머릿결도 뽐내는 아가씨였어.
그때의 엄마였으면 지금 아빠와 살지 못했을 거야.
그렇지만 수많은 인고의 시간과 대화를 통해
아빠를 이해하며 지금까지 살아온 거야.

아들, 결혼 생활은 연애때처럼 행복만 가득하지는 않을 거야.

때로는 힘들고, 이해하지 못하고, 또 이해하기도 어려운 일들이 가득할 수 있어.
그럴 때마다 아내의 말을 잘 들어주고 대화를 이어나가야 해.

성질만 버럭버럭 내서는 안 돼.
항상 아내를 안아주고, 이해해주고, 조금 더 희생하고 그래야 해.
여자들은 본능적으로도 알고, 표현해줄 때도 알아.
이 사람이 나를 정말 배려해주고 있구나 라는 것을.

여자들은 그런 배려심에 감동받고 또 받은 만큼 남편에게 잘해주고자 하는 욕구가 있어.
그러니까 싸우더라도 먼저 사과하고, 여자친구 가슴에서 눈물 흘리지 않게 행복하게 해줘야 해.

너가 조금 더 양보하고,
조금 더 배려할 때 여자친구는 정말 행복하고 너를

좋아하게 될 거야.

아빠도 나이 50이 넘어서야 엄마를 좀 더 배려하고 행복하게 해주려고 애쓰더라.

엄마는 지금 행복해.

아들은 그렇게 늦게 하지 말고 지금부터 여자친구를 위해서 배려하고 힘써줘.

그것이 너의 가정에 행복을 가져다 줄 거니까.

엄마는 아들 믿어. 잘 할 거라고.

또 미래의 아내에게 행복만 가져다 줄 거라고 말이야.

설레는 사랑에는 유효기간이 있어요.

우리가 말하는 진정한 사랑은

믿어주고, 배려해주고, 가족애를 느끼는,

그런 사랑이 정말 깊은 사랑이에요.

- 최 별 -

사랑의 완성이란?

좋아서, 설레어서 사랑을 하고 만남을 가지고, 결혼을 약속합니다.
평생 살아갈 동반자가 되어가며 우리는 한 가지를 잊고 살 때가 많습니다.
결혼할 때 우리는 분명,
"나는 당신을 아내로, 당신을 남편으로 맞이하여 평생 사랑할 것을 약속합니다."
라고 서약했습니다.

많이 그러하듯, 살다 보면 약속을 못 지킬 때가 참 많죠.

평생 사랑하는 것은 사랑의 감정이 나와서 하는 것이지 약속한다고 사랑이 되는 것은 아닙니다.

그래서 평생 사랑하겠다는 약속은 지키기가 어려운 것입니다.
하지만 사실 사랑은 범위가 넓습니다.
그 사람을 위해 희생하는 것도 사랑이고, 행복할 수 있도록 도와주는 것도 사랑입니다.
나이가 들수록 사랑이 변질되는 것이 아닌 더 깊은 사랑으로 발전해 나가는 것입니다.
설레는 사랑에서 동반자적 사랑으로, 동반자적 사랑에서 하나되는 사랑으로
발전해 나갈 뿐입니다.

그러므로 당신이 설레이지 않는다고 해서 그 사랑이 변질된 것이 아니라,
더 중요한 의미의 발전된 사랑으로 성장할 수 있음을 의미합니다.

설레는 사랑은 새로운 사람을 만나면 할 수 있습니다.
그러나 그 사람을 위한 희생과 믿음을, 설레는 감정만으로는 할 수 없습니다.
오랜 시간 함께하고 돈독한 관계가 형성 되어야 믿음이 생기고
이타적인 사랑을 할 수 있기 때문입니다.

그래서 사랑은 재미있습니다. 계속해서 배우고 발전해 나갈 여지가 있기 때문입니다.
설레이는 사랑이 지나고 나면, 믿음과 신뢰의 사랑으로 함께하고
더 시간이 지나면 그저 함께 있는 것만으로도 든든하고
위안이 되는 관계로 발전해 나갑니다.

사랑에는 완성이 없습니다.
완벽한 사랑은 없습니다.
그저 사랑은 불완전하고 항상 노력해야만 하는 존재인 것입니다.

그래서 우리의 사랑은 의미가 있습니다.

사랑이 완성 될 수 있다면 아마 사람들은
완성시키고 나서 다른 사랑을 찾아 나설 것입니다.
하지만 우리의 사랑은 완성될 수 없기에
너무나도 소중한 것이고 지켜야 할 가치가 충분한 것
입니다.

좀 바보 같으면 어때요. 당신 방식대로 사랑하세요.

그래야 자신에게 당당할 수 있잖아요.

- 최 별 -

누군가의 이야기 3

퇴근하고 언제나 가던 카페를 다시 찾습니다.

이번에도 제가 가장 좋아하는 구석지고 조그마한 테이블에 앉습니다.

그 자리는 사람들이 잘 찾지 않는 구석이기 때문에

저녁 시간임에도 불구하고

거의 제 지정석입니다.

저는 내성적인 탓에 사람들이 많이 붐비는 중앙 자리를 싫어 합니다.

그 자리에 앉으면 왠지 모르게 사람들의 시선이 의식

되기 때문이죠.
여느 때처럼 레몬 차를 한잔 시키고 자리에 앉습니다.
한 모금 마시고 난 후 가지고 온 책을 펼쳐서 읽기 시작합니다.
그러다 문득 카운터 자리를 봅니다.

사실 책은 핑계고, 아르바이트 직원이 예쁘기 때문에 이 카페를 자주 옵니다.
오늘도 정말 예쁩니다.
그래서 힐끔힐끔 보다가 어느 순간 눈이 마주쳐서 저는 고개를 홱 돌립니다.
제 마음이 들킨 것 같고 욕을 하고 있는 것만 같습니다.

그렇습니다. 저는 연애도 한 번 못해본 숙맥입니다.
자신감도 없고 어떻게 말을 해야 하는지도 잘 모릅니다.
이성 친구들은 꽤 있는 편인데 그 친구들 앞에서는 말을 잘합니다.
근데 제가 좋아하는 사람 앞에서는 완전히 벙어리가

됩니다.
고치고 싶은데 고쳐지지가 않네요.

제가 매일같이 그 자리에 와서 레몬 차를 마시기
때문에
사실 그 여직원도 어느 정도 눈치를 채고 있을 수도
있습니다.
그래도 제가 고백을 한 것은 아니니까 뭐 제 마음을
들킨 건 아니라고 위안 삼고 있습니다.

아무리 생각해봐도 제가 바보 같습니다.
좋아하면 좋아한다고 얘기라도 해야 하는데,
그러지도 못하고 혼자 훔쳐만 보고.
무슨 제가 사춘기 초등학생도 아닌데 말입니다.

마음을 접고 책이나 읽기로 생각합니다.
'그래, 저 분은 나에게 관심이 없어.
속 썩이지 말고, 책이나 읽자. 주제에 여자는 무슨.'

그렇게 단념하고 책을 읽던 중 책 글귀에 이런 대목이 있었습니다.

'사랑하는데 남의 말 좀 듣지 마세요.
당신이 사랑하는 방법은 가슴이 시키는 대로 하는 거에요.'

저는 이 글을 보고 생각했습니다.
'내 가슴이 시키는 사랑을 해보고 싶다.
나도 내 가슴이 시키는 대로 하고 싶다.
멋지게 고백해서 성공하든 차이든
한 번쯤 은 남자 답게 행동해보고 싶다.'
라고 말입니다.

결심했습니다. 아르바이트 생에게 다가갈 겁니다.
그렇지만 갑자기 번호를 달라고 하면 당황할 것 같아서
제 번호를 주는 게 나을 것 같습니다.

이러나 저러나 용기가 나지 않는 것은 매한가지지만 시도도 해보지 않고 마음을 접는 것은 제가 용납 못 할 것 같습니다.

저는 카페안에 있는 깔끔한 휴지에 제 번호와 마음을 적습니다.

'안녕하세요. 이런 적이 처음이라 좀 서툽니다. 커피 한잔 하고 싶습니다.
그쪽이 마음에 듭니다. 제 번호는 010-XXXX-XXXX 입니다. 연락 기다리겠습니다.'

그리고 걸어 갑니다. 그녀를 향해 한 걸음 내딛습니다. 다리가 후들거립니다. 그래도 평생 이렇게 살 수는 없습니다.
아름다운 그녀를 위해 용기를 내겠습니다.
뒤돌아서 커피를 내리는 그녀를 보며 이야기합니다.

"저.. 저기요, 마음에 들어서 그러는데 이것 좀 받아 주세요."

커피숍 사장의 이야기

오늘도 커피숍으로 출근을 합니다.
제 가게인데도, 오후4시부터 밤 11시까지 일을 합니다.
치솟는 인건비 때문에 아르바이트 생을 구하는 것이
부담이 되는 요즘이기 때문입니다.

오전은 저희 언니가, 오후는 제가 보는 이 커피숍은
단골 손님들이 꽤 많습니다.
그 중에서도 요새 눈에 띄는 단골 손님이 있습니다.
30세 정도 되어 보이는 남성인데 거의 매일 와서
레몬 차를 마시며 책을 읽다가 갑니다.

딱히 책을 좋아하는 것 같아 보이지는 않는데 항상 책을 가져와서 읽다가 갑니다.
보면 책도 거의 같은 책에 앞부분만 조금 읽는 눈치입니다.

뭐 제 입장에서는 매출 올려주는 고객이니까 무엇을 하던 별 상관은 없습니다.
여하튼 오늘도 커피를 내리며 일을 하고 있던 도중에 자주 오시던 할머니께서 저를 찾습니다.

"네 어머님 무슨 일이세요?"
"새댁, 그거 알아? 저기 저 자리에 앉은 청년이 새댁 매일 힐끔힐끔 보는 거?"
"네? 아니요 저는 전혀 몰랐는데요."
"관심있으면 잘해봐! 시집갈 때도 된 것 같구만!"
"아, 아직은 생각이 없어서요.. 감사합니다. 어머니."

카운터로 돌아와 생각해보니

저 사람이 나를 힐끔힐끔 보는 것 같다는 느낌을 받은 적이 있습니다.
그래서 문득 그 사람을 봤는데 눈이 마주쳤습니다.
갑자기 고개를 홱 돌리더니 얼굴이 홍당무가 된 남자는 갑자기 주섬주섬 책을 읽는 척 합니다.
정말 그런 건가 싶은 생각이 들기도 합니다.

생각해보면 꽤 괜찮은 사람인 것 같습니다.
주문할 때의 낮은 중 저음 목소리와 부드러운 말투, 남자다운 척을 하려고 하는데 사실은 귀여운 면이 있는 그런 느낌을 주는 남자입니다.
얼굴도 약간 수달을 닮았고요.

매일같이 저를 보러 저희 가게에 왔다고 생각하니 좀 부담스럽기도 하지만 한편으로는 조금 귀엽게 느껴지기는 했습니다.

어쨌든 저는 제 할 일을 오늘도 해야 했습니다.

커피를 내리고 원두를 채워 넣는 중에 뒤에서 누가 말을 걸어 왔습니다.

"저.. 저기요, 마음에 들어서 그러는데 이것 좀 받아 주세요."

저는 한참을 그 남자를 바라보고 서 있었습니다.
할머니가 말씀하신 그 남자였습니다.
얼굴이 홍당무가 되어 손을 덜덜 떨며 서툴게 접은 종이 쪽지가 손에 들려 있었습니다.
얼떨결에 받아 드는 순간 그 남자는 "안녕히 계세요."
꾸벅 인사를 하더니
쏜살같이 매장을 나갔습니다.
종이쪽지에는 이렇게 적혀 있었습니다.

'안녕하세요. 이런 적이 처음이라 좀 서툽니다. 커피 한잔 하고 싶습니다.
그쪽이 마음에 듭니다. 제 번호는 010-XXXX-XXXX

입니다.'

보면서 제일 처음에 든 생각은
'처음은 아닌 것 같은데 어디서 뻥을 치나'
였습니다.

그래도 생각해보니 귀여웠습니다.
홍당무 같은 얼굴에 덜덜 떠는 손 하며,
조금 부담스럽긴 해도 저를 보려고 카페에 계속 왔었다는 게 약간 귀엽기는 합니다.

연락을 떠나서 제가 가치 있는 존재가 된 것 같아 기분이 좋았습니다.
오늘은 기분 좋게 퇴근할 수 있을 것 같습니다.
어쨌든 누군가에게 플러팅을 받은 것이니까요.

카페를 마감하고 집으로 향합니다.
집까지는 1시간 정도 걸리는데 가는 길이 꽤나 심심

합니다.

밤늦게 버스를 타고 가야 하는데 한참 가야 하기 때문이죠.

듣던 음악들도 매일 비슷한 음악이라 이제는 별로 듣고 싶지는 않습니다.

주머니에 든 남자가 준 쪽지를 보며 생각합니다.

'심심한데 연락이나 해볼까. 밑져야 본전이니까.
꽤나 귀엽기도 하니까 말이야.'

고민하던 중 버스 라디오에서 들리는 사연 중에 한 대목이 귀에 박힙니다.

'이것 저것 따지고 재다가는 좋은 사람 다 놓쳐요. 일단 만나보고 생각하세요.'

저는 웃었습니다. 마치 저에게 하는 이야기 같았거든요.
어느덧 번호를 저장하고 메시지를 작성하기 시작합니다.

저와 그 남자는 인연이 될 수 있을까요?

정말 좋은 사람일까요?

모르겠습니다.

하지만 좋은 기분이 듭니다.

지금은 사랑하기 좋은 계절, 가을이니까요.

4장,
나 자신을 사랑하지 못하는 어른아이

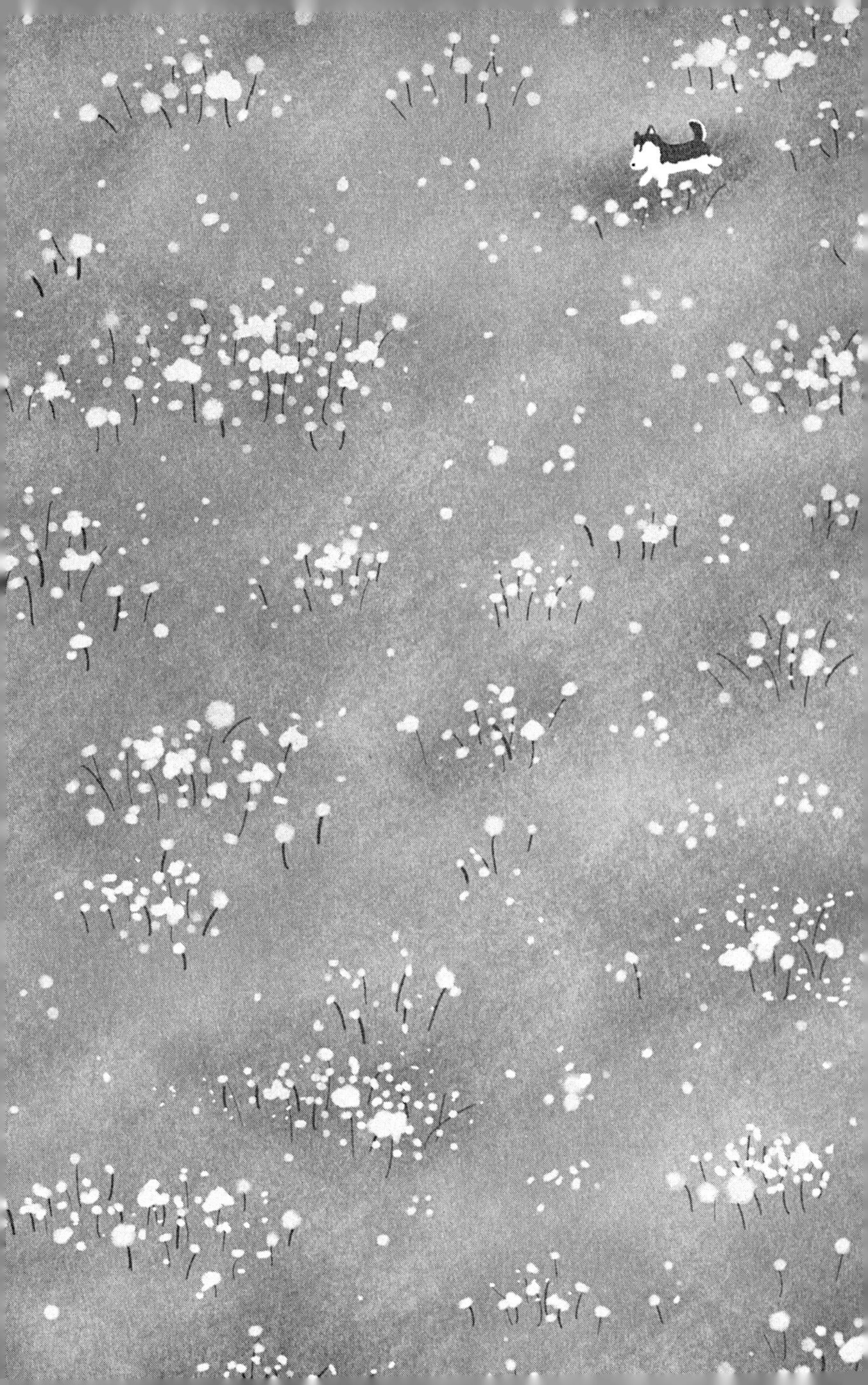

자신보다 소중한 건 없어요.

예쁘고 아름다운 자신을 더 많이 챙겨주세요.

남 챙기느라 나를 못 챙기는 일은

바보도 그렇게 하지 않아요.

- 최 별 -

남만 챙기는 바보

그런 사람들이 있습니다.

자기 자신보다 남을 중요하게 생각하는 사람들이요.

항상 자기 자신보다 남이 우선이고

남 챙기느라 자신이 힘들고 아파하는지도

잘 느끼지 못하는 분들이 생각보다 많습니다.

착해서, 순수해서 그렇다고만 얘기 하기에는 조금 부족합니다.

다른 사람의 행복을 바라보며 행복함을 느끼는 사람들은 많이 있지만

그렇다고 남을 챙기느라 본인을 챙기지 못하는 일은
사실 자기 학대에 가깝습니다.
자기 자신도 누군가의 자식이고 누군가의 부모이기
때문에 더더욱 그렇습니다.

당신이 혹시 남만 챙기는 바보라면 한 번쯤 생각해
볼 필요가 있습니다.
나는 왜 그러는지, 남만 챙기느라 나를 돌보지 못하는
것은 아닌지 말입니다.

사실 남을 챙기는 일로 행복해 하는 사람들은
챙김으로써 만족을 한다기보다는 그 사람이 만족해
할 것을 생각하며
자신이 만족하게 되는 경우가 많습니다.

곧 그 사람이 만족해 하면서 도움을 준 사람에게 고
마워하고
인정해 줄 것이라는 것을 본능적으로 알고 있는 것이죠.

결국 남을 챙기며 만족하는 사람들은 그 사람들로부터 인정받고 싶은 욕구가 굉장히 큰 사람들입니다.
남들에 비해 인정욕구가 강하고, 정이 많으며, 사랑이 부족한 사람들이
그런 경우가 많습니다.

저 사람들에게 나도 사랑받고 싶고, 사랑받기 위해서는 챙겨주고 보살펴줘야 한다는 심리가 작용하는 것입니다.

그것을 나쁘다고 얘기하고 싶지는 않습니다.
그렇지만 사실 이런 상황은 자신에게 이롭지는 못한 상황입니다.

자기 자신을 사랑해주고 만족시켜주면 자기애가 생겨서
남들에게 애정결핍이 생기지 않는데,

자기 자신을 사랑할 줄 모르는 사람은 사랑이 부족하고
그 사랑을 채우기 위해 다른 사람들로부터 요구하는
것입니다.

그것이 자신보다 남을 도와주는 방향으로 바뀌게 되면
결국 자기 자신을 사랑하는 것으로부터 오히려 멀
어지고
남에게만 의지하게 되는 상황이 벌어지게 됩니다.

그것만큼 가슴 아픈 일이 있을까요.
자신을 사랑하지 못해서 의지하게 되고,
사랑을 갈구하는 그런 가슴 아픈 상황이 일어난다면
그것은 남을 돕느니만 못한 결과인 것입니다.

일반적으로 남을 위하는 마음은 누구나 다 가지고
있지만
그것이 도를 넘어섰다고 생각한다면
자신을 사랑하고 있는지 돌아볼 필요가 있습니다.

다른 것들은 괜찮다고 말해 줄 수 있습니다.

그러나 자신을 사랑하지 못하는 것은 괜찮지 않습니다.

그래서, 우리는 반드시 자신을 사랑하는 방법을 알아야만 합니다.

자신이 하는 일을 끝까지 응원해 주세요.
당신의 인생에서는 그게 정답이 될 테니까요.

- 최 별 -

나 자신에게 하는 말

오늘도 고생 많았어.
직장 생활 하느라, 사회 생활하느라 많이 힘들었지?
좋아하지도 않는 사람들 앞에서 억지로 웃음을 짓고
쓰디쓴 마음을 삼켜가며 살아가느라고 많이 아팠을 거야.

대체 이런 일을 언제까지 해야 하는지,
사람들 앞에서 가면을 쓰고 살아가야 하는지 모르겠어.

사람들 신경 쓰느라 내가 아픈지도 모르고,

제일 힘든 건 나인데, 대체 무엇 때문에 이렇게 살아 왔던 건가 싶어.

오늘은 나 자신을 위해 쉬어 가려고.
내가 좋아하는 음식도 먹고,
그동안 뵙지 못했던 부모님도 뵈러 가고 하면서 쉬어야겠어.

사회 생활하느라 많이 아팠던 내 마음에
상처와 연고도 좀 발라주면서 나를 토닥여야겠어.

남의 시선을 의식하고 챙기는 것도 중요하지만, 나는 내 자신이 가장 중요하니까.
세상에서 가장 소중한 건 나 자신이니까.
나한테 예쁜 말과 하루를 주고 싶고,
수고했다고 꼭 이야기해주고 싶어.

나 정말 잘 했어.

결과와 상관없이 노력했음에, 열심히 버텨 왔음에 정말 잘했다고 이야기 해줄 거야.

여태까지 잘 살아온 것만으로도 칭찬받아 마땅하니까.

난 정말 잘 살아왔어. 앞으로도 잘 살아갈 거고.

나를 위해 행복하게 살아갈 거야.

잘 될 거에요. 자신을 믿고 응원해주세요.
당신은 생각보다 더 멋진 사람이니까요.

- 최 별 -

어른아이

고3을 지나 20살이 되는 순간 성인이 됩니다.

마음은 아직 학생때에 머물러 있는데 20살이 되었다고, 이제부터 어른이라고 합니다.

술도 마실 수 있고 어른으로서 누릴 수 있는 권리를 모두 누릴 수 있다고 합니다.

동시에 책임도 따릅니다.

자유의 대가로 무거운 책임이 주어지네요.

자유에 비해, 책임은 너무 큰 것 같습니다.

이제 혼자 독립해서 먹고 살 준비를 해야 하는데 그

게 여간 만만치 않습니다.
혹독한 사회생활을 열심히 버티고 있는데
주변에서 슬슬 결혼해야 되지 않냐며 압박을 넣습니다.

참 어렵습니다. 사실 나이는 먹었어도 제 마음은 고등학생 때와 변한 게 없습니다.
그때처럼 친구들과 놀고 싶고, 여전히 만화를 보는 것도 좋아합니다.

그렇습니다. 저는 어른 아이입니다.
30세를 넘긴 나이에도 아직도 마음만은 어린이 입니다.
외박을 하는 날이면 엄마가 보고 싶기도 하고,
사람들의 지적에 마음이 아픈 연약한 학생일 뿐입니다.

그런데 세상은 나보고 강해지라고 합니다.
어른이 되었으니 밥벌이를 해야 하고, 결혼해서 애도 낳으라고 합니다.
그리고 누구보다 뛰어나야 한다고 합니다.

너무 어렵습니다. 그리고 너무 아픕니다. 강해지고 독해지라고 합니다.
저는 그럴 자신이 없습니다. 그저 저는 어린 마음을 가지고 살아가고 싶을 뿐입니다.
저와 같은 어른아이가 있다면 얘기해주고 싶습니다.

당신만 어린 것이 아니다. 나도 이렇게 어리고 성장통을 겪고 있다고 말입니다.
갑자기 성인이 되었다고 성인처럼 강해질 수 있는 것은 아닙니다.
그저 감내하고 시간이 흘러가며 천천히 적응해 나가는 것일 뿐,
한 번에 강해지고 성인의 마음가짐으로 탈바꿈되는 것이 아닙니다.

우리는 나이는 어른이지만 마음에는 아직 어린 마음이 남아 있습니다.

저는 그 순수한 어린 마음을 잘 간직하기를 바랍니다.
가끔은 여리고, 아픈 마음이 저를 힘들게 할 때도 있지만
예쁜 마음을 잘 간직한다면 인생을 보다 아름답고 행복하게 살 수 있을 것입니다.

속세를 떠나 바다만 보아도 행복하고,
사랑하는 사람과 손만 잡고 있어도 세상을 다 가진 것 같은
설렘을 느낄 수 있는 것은 어른아이의 특권 입니다.

저는 당신이 이런 순수함을 오래도록 간직하여
삶의 진정한 행복을 느끼기를 바랍니다.

어른아이면 어떻습니까. 꼭 어른이 되지 않으면 어떻습니까.
그저 당신이 행복하고 즐겁게 살면 그만입니다.
강해지려고 아프고 힘들 거라면, 저는 그냥 강해지지

않겠습니다.
약한 사람으로 남아 아프지 않고 즐겁게 살아가겠습니다.

세상의 모든 어른아이가 아프지 않고 자신만의 길을 개척해 나갔으면 좋겠습니다.
인생은 정답이 없기에, 자신만이 자신의 정답을 알고 있기에,
저는 당신이 가슴이 시키는 대로 걸어가라고 이야기 해주고 싶습니다.

울고 싶을 때는 울기로 해요.

극복하려고 할 때 우리는 더 슬퍼지니까요.

나는 당신이 펑펑 울고 편안해지기를 바랍니다.

- 최 별 -

어릴 때는 몰랐던 사실

1. 부모님의 괜찮다는 말씀이 진짜 괜찮은 줄 알았다.

2. 시간이 빨리 간다는 말이 거짓말인 줄 알았다.

3. 학창 시절 친구들과 영원할 줄 알았다.

4. 술이 맛있다는 뜻을 이제서야 이해한다.

5. 30살이 되면 굉장히 멋진 어른이 되어 있을 것이라고 생각했다.

6. 30대가 되어도 체력이 10대때랑 크게 다르지 않을 것이라고 생각했다.

7. 사랑에는 책임이 따른다는 것을 이해하지 못했다.

8. 상처 받는 것보다 상처 주는 것이 더 괴롭다.

9. 생각보다 세상에 나쁜 사람들이 진짜 많다.

10. 돈만 많이 벌면 행복할 거 같지만 그렇지 않다. 일단 많이 벌기도 어렵다.

저는 도둑놈입니다

오늘도 이른 아침 조용히 식탁위에 있는 지갑을 듭니다.
아버지의 지갑에는 현금이 꽤나 많이 들어 있습니다.
거기에서 만 원 짜리 3장을 슬쩍합니다.
초등학교 4학년인 저에게 3만원은 굉장히 큰 돈입니다.

그렇게 학교를 갑니다. 가서 또 다시 친구들에게 멋진 듯 자랑을 합니다.
"야, 어제 내가 라이터 총 사주기로 한 애들 모여봐, 내가 사준다고 했지?"
아이들이 벌떼 같이 모여듭니다. 친구들은 제가 부자

인 줄 압니다.
매일같이 제가 큰 돈을 가져와서 아이들이 사고 싶은 것, 먹고 싶은 것들을 사 주거든요.

원래는 저랑 놀아주지 않던 친구들이 체육시간 때 축구 게임에도 절 끼워주고,
점심시간에 매점에 갈 때도 같이 가자고 합니다.
물론 제가 사는 거지만요. 그래도 친구가 생겨서 기쁩니다.

벌써 일주일 째 입니다. 아버지의 지갑에 손을 댄지요.
처음에는 가슴이 쿵쾅쿵쾅했지만 지금은 괜찮습니다.
어차피 아버지는 모르니까요. 혼날 일도 없습니다.

그렇게 친구들은 제가 사준 라이터 총을 들고 개미를 죽이면서 놀고 있습니다.
사실 개미를 죽이는 건 올바른 일은 아니라고 생각하지만,

말을 하면 저랑 다시 안 놀아줄까 봐 그냥 잠자코 있습니다.

오늘도 아이들 이랑 즐겁게 놀고 집에 들어왔습니다.

내일도 분명 재미있을 것 같습니다.

다음날이 되어 또 다시 식탁으로 향합니다.

그런데 아버지 지갑이 안 보입니다. 이상합니다.

분명 여기에 두시는데 오늘은 지갑이 없습니다.

큰일입니다. 돈을 못 가져가면 친구들이

저에게 실망하게 될 것입니다.

아버지 돈을 훔치는 것은 잘못된 것이기는 하지만

저는 친구들에게 신뢰를 얻어야만 합니다.

그래야 제가 행복하니까요.

친구들이 저를 좋아해줘야 저는 행복하단 말입니다.

돈이 없어서 큰일입니다. 어떡해야 할지 모르겠습니다.

친구들이 없으면 저는 안됩니다.

저는 혼자 노는 법을 모르고,
저를 어떻게 좋아해야 하는 건지 전혀 모른단 말입니다.

제가 이상한 건가요?
여러분도 친구에게 사랑받는 게
아버지 돈을 훔치는 것보다 중요하지 않나요?

난 당신이 행복했으면 좋겠어요.

오늘도, 내일도, 지나간 과거도

아름답게 생각했으면 좋겠습니다.

- 최 별 -

내 마음 읽기

스스로의 마음을 아는 사람은 생각보다 많지 않습니다.
아는 듯 하지만, 제대로 들여다 보지 않으면
자신이 원하는 것을 진정으로 깨닫지 못하는 경우가
많습니다.
당신이 아파하고 힘들어하는데
남들에게 위로와 공감을 받는다고 해서
당신의 마음이 완전히 나아지지는 않습니다.
그저 완화될 뿐.

자기 자신을 진정으로 사랑해줄 때

우리는 아픔으로부터 자유로워질 수 있습니다.
그래서 자기 자신의 마음을 꼭 읽어볼 필요가 있습니다.

저는 당신이 글을 쓰면서 스스로의 마음을 읽어 가기를 바랍니다.
제가 실제로 많이 힘들 때, 그리고 지금도 제 마음을 파악하기 위해서
쓰고 있는 방법 중의 하나입니다.

먼저, 깨끗한 공책을 하나 준비하고 거기에 펜을 들고 글을 씁니다.
어려운 글을 쓰는 게 아니라 그저 아프면 아픔, 생각이 많으면 생각이 많다.
이런 식으로 써 나가는 겁니다.

내가 이렇게 해서 아팠고, 나는 이런 부분이 너무나도 힘들고,
그러다 보면 자기 자신을 위로하게 되고 왜 아파하는

지 깨닫게 됩니다.

저는 살면서 도저히 이해가 가지 않았던 부분들은
항상 글로 나타냈습니다.
상대방이 왜 그렇게 행동하는지, 나는 왜 그렇게 행동했었는지,
나의 문제는 무엇인지, 앞으로 어떻게 살아가야 할지에 대해
자유롭게 써 내려가는 것입니다.

그래서 당신이 걱정이 많고 힘들다면
잠들기 전 15분정도 시간을 잡고 자유롭게 자신의 생각을
공책에 써 내려가기를 바랍니다.

남들에게 들키는 것이 싫다면 쓰고 나서 종이를 바로 찢어 버려도 됩니다.
찢은 종이도 누가 볼 것 같다면 문서 파쇄기에 갈아

버려도 됩니다.

그러나 나는 그 공책을 잘 보관하기를 바랍니다.
나중에 내가 괜찮아졌을 때 공책에 내가 힘들었던 부분들을 보며
언젠가 웃을 날이 올 것이기 때문입니다.

마음의 아픔을 쓰레기라고 생각하지 마세요.
그 아픔들 또한 다 안아주어야 비로소 당신이 남들로부터 자유로워지고
행복에 가까워질 수 있습니다.

아픔이 드러났다면 자신에게 꼭 이야기해 주세요.

괜찮다.
아무 일도 아니다.
그런 일이 일어난다고 해도 세상이 무너지지 않는다.
너는 잘하고 있다.

힘들어 하는 사람에게 자꾸 조언하지 마세요.

그냥 들어주고,

공감해주는 것이 필요한 것 뿐이에요.

- 최 별 -

자기사랑법

저는 당신이 꼭 스스로를 사랑해주기를 바랍니다.
오롯이 자신을 사랑할 때 당신이 행복해질 수 있기 때문입니다.

힘들면 좀 쉬어 가고, 지치게 하는 사람이 있으면 멀리했으면 좋겠습니다.
당신이 피하고, 부딪치지 말고, 숨었으면 좋겠습니다.
성장하려고 열심히 하는 것은 이미 충분히 하고 있습니다.
그러나 그것이 자신을 사랑하는 것까지 해친다면 하

지 말아야 합니다.

자신의 사랑과 줏대가 서야 그 다음이 있는 것입니다.
그저 남을 위해서 노력하고 힘을 내려고 한다면
한계에 봉착하고 자신을 학대하는 것이나 다름없습니다.

당신을 항상 먼저 사랑하세요.
가족도, 친구도, 동료도 자신보다 중요하지 않습니다.
당신 자신이 먼저 자신을 사랑해야만 사랑하는 사람들도 지켜줄 수 있습니다.

힘든 건 놓아 버리고, 가끔 무책임해질 필요도 있습니다.
너무 책임감이 강하고 사랑이 넘치면,
모든 일을 해내야 된다는 착각에 빠지기 십상입니다.
조금은 자기 자신을 위해 이기적이어도 됩니다.

그리고 자기가 좋아하는 것들로 시간을 보내주세요.
평소에 자기가 좋아하던 쇼핑, 음식, 영화, 커피, 친구와 함께 하며
자신을 위로해 주세요.

저는 항상 시간이 나면 책 한권을 들고 카페를 향합니다.
거기에서 커피향을 맡으며 조용히 책을 읽으며 힐링하는 것을 좋아합니다.
힘들면 쉬려고, 힘들지 않을 때는 즐거운 시간을 보내기 위해 카페를 찾습니다.
그렇게 자신을 사랑해가며 살아가고 있습니다.

물론 옛날에는 모든 것을 해내려고 노력하고
강박적인 생각에 휩싸여 살아갔지만 지금은 아닙니다.

제가 좋아하는 글쓰기도 하고, 카페도 가고,
책도 읽고 행복하게 살고 있습니다.

일은 두 번째입니다.
성공과 일은 그저 제 인생의 수단일 뿐,
저를 행복하게 해 줄 수는 없습니다.

일 자체가 즐거운 사람도 있습니다.
그런 분들은 일을 하면서 행복하기에,
일을 열심히 하는 것을 응원합니다.

하지만 그렇지 않은 분들은
꼭 자신을 위한 탈출구를 하나 마련해주세요.
그래야 당신이 살고, 자신을 사랑하며,
남을 사랑할 수 있는 발판이 될 것입니다.

별일 아니에요. 사사건건 걱정해봐야

해결되는 것도 없어요.

그냥 '아 모르겠다, 될 대로 되라'. 라고

생각하는 게 더 편할거에요.

- 최 별 -

누군가의 이야기 4

어린 시절 저는 부모님과 한 때 사이가 매우 안 좋았습니다.

중학교 3학년때는 아버지와 6개월간 이야기를 안 섞은 적도 있었죠.

이후에 허심탄회한 대화를 나누며

'가족만큼 소중한 것은 없다' 라는 것을 깨달았습니다.

그래서 저는 그날부터 가족을 위해 살겠다고 다짐했습니다.

뒤늦게 공부도 시작하여 대학을 가고, 취업도 하고

돈도 적게나마 모으기 시작했습니다.

크게 문제 될 것 없는 삶을 살고 있었습니다.
그런데 살다 보니 문득, 재미가 없다는 생각이 들었습니다.
가족을 위해 사는 것은 당연한 일인데,
주체성이 없다는 생각이 들었을 때 저의 가치관이 무엇인가,
어긋났다 라는 생각이 들었습니다.

사실 저는 취미가 하나도 없었습니다.
그저 일하고 집에 오고 뉴스를 보며 하루를 마무리했습니다.
그래서 생각했습니다.

가족이 가장 소중한 건 맞지만
그 이전에 나를 먼저 사랑해야 됩니다.
내가 먼저 주체가 되어야 그 다음에 가족을 사랑할

수 있다는 생각이 들었습니다.

그때부터, 저는 제가 좋아하는 것을 스스로에게 묻고
가치관을 확립하기 시작했습니다.
그때 나이가 26세 였습니다.
남들보다 늦었지만 나름대로 깊이 있게 저 자신을 관찰하고
제가 좋아하는 것, 약한 부분, 인생의 가치관 등을 세우게 되었습니다.

그때부터는 부모님께 의지하는 습관이 많이 줄어들었습니다.
모든 판단은 제가 내리고, 부모님의 말씀은 조언으로 듣게 되었습니다.

그랬더니 인생이 행복해졌습니다.
성공에 매달리지 않고, 행복에도 매달리지 않고,
그저 저 자신을 사랑해가며 매일을 살아가고 있습니다.

제가 좋아하는 커피를 마시고, 좋아하는 산책을 하고,
놀이공원에 가도 놀이기구를 타기보다는 분위기를
즐기며,
술을 마실 때는 소주를 많이 먹기보다는,
전통주를 조금씩 먹는 것을 선호하게 되었습니다.

남들이 다하는 거 말고 저만의 색깔, 나만의 인생이
비로소 서기 시작한 겁니다.
저는 아직도 남의 시선을 많이 의식하고,
자신의 매력을 잃을 때가 많이 있습니다.

그래도 괜찮습니다. 완벽한 것은 없으니까요.
앞으로도 나 자신을 많이 사랑하며 살아갈 겁니다.
누구보다 자신을 사랑하고 관대할 것입니다.
그것보다 세상에서 중요한 것은 없습니다.

5장,

아픔을 딛고 행복으로

행복, 남과 비교하면 절대 이룰 수 없어요.

나 자신이 좋아하는 것을 묻고, 그걸 할 수 있을 때,

우리는 그것을 행복이라고 해요.

- 최 별 -

강해지지 말고 약해지기

참 많이 아팠겠습니다.
사회적으로, 자기 자신에게도, 심지어 가족에게 마저
많은 상처를 받은 당신을 보면 마음이 안 좋습니다.

아픈 마음을 만져줘도 모자랄 판에 세상은 당신에게
강해짐을 요구합니다.
'강해져야 극복할 수 있다. 당신이 약해서 그런 거다.'
라고 하면서 말입니다.
강해진다고 마음이 단단해지지 않습니다.

우리가 가지고 태어난 마음은, 말랑말랑하기에 딱딱한 돌처럼 굳어질 수 없습니다.
당신이 느끼는 아픔은 나약해서가 아닌,
원래 사람의 마음은 그렇게 누르면 짓눌리는, 약한 존재인 것입니다.
그러니까 강해지라는 말은 맞지 않습니다.
강해진 척 할 뿐입니다.

당신, 약해져도 됩니다.
굳이 일부러 아파하며 강해질 필요 없습니다.
그저 자신의 아픈 마음에 약도 발라주고 자신을 위로해줬으면 합니다.

아픈 건 아픈 거고, 힘든 건 힘든 겁니다.
다른 어떤 말이 필요 없습니다.
그저 아프고 힘든 당신에게 위로의 말을 건네고 싶습니다.

남들이 이렇게 하라, 저렇게 하라 이런 말에 휘둘릴 필요도 없고,
가족의 기대에 강해지려고 할 필요도 없고,
다른 사람의 바램 때문에 강해질 필요도 없습니다.

그저 자신이 행복하고 아프지 않은 것을 선택해서 살아가면 됩니다.
인생의 주인공은 바로 당신입니다.
아파했던 시절은 잊어버리고 자신을 잘 보듬어 주기를 바랍니다.

잘못 그 까짓 거 할 수 있어요.

별거 아닌 일에 자신을 학대하지 말아요.

소중한 당신을 잘 지켜줘야죠.

- 최 별 -

그럴 수 있고, 그럴 만했다

남의 잘못 때문에 당신이 아픈 것은, 시간이 지나면
위로가 되고 힘을 낼 원동력이 된다.
하지만 당신 자신의 잘못 때문에 죄책감을 가지고
있다면
그것은 시간이 지나도 힘을 내기 쉽지 않다.
자기 머릿속에 계속해서 남아있기 때문에
쉽게 지울 수 없는 것이다.

당신 정말 그렇게 죄책감을 가질만한 일을 했는가?
파멸적인 일을 저질렀는가?

대부분의 비인륜적인, 파멸적인 범죄를 저지른 사람들은
그다지 미안한 감정을 가지지 않는다.
뉴스에서도 보면 무서운 사람들은 미안해 하는 척 할 뿐 실제로 미안해 하지 않는다.
그 중에서도 극 소수가 자신의 잘못을 뉘우치고 돌아올 뿐이다.

하물며 죄책감을 가지고 있는 당신,
정말 당신이 한 일이 그렇게 큰 잘못인가?
다른 사람들은 그런 일 안하고 산다고 장담할 수 있나?

잘못 그런 거 좀 할 수도 있다.
세상 살면서 잘못 하나 안하고 사는 사람 없다.
깨끗하다고 주장하지만 사실 완전히 깨끗한 사람은 없다.
누구나 파고들면 어지러운 구석이 존재하는 것이 인생사다.

과거의 일 때문에 너무 아파하고 힘들어하지 않았으면 좋겠다.
당신의 잘못은 이미 지나간 일이고,
벌인 일은 다시 돌아오지 않는다.

그러니 이제 그만 놓아줬으면 한다.
당신의 손에서 아프고 죄책감을 가지는 과거를 그만 놓아주고
현재를 살아갔으면 한다.

고개 들고 앞을 봐라.
우리가 살아갈 날은 이렇게 많이 있다.
지나간 잘못에 연연하면서 살아가기 보다는
잘못을 딛고 앞으로는 그러지 않겠다고 다짐하며
세상에 좋은 영향을 끼치며 살아가는 것이 훨씬 더 올바른 길이라고 생각한다.

그러니 이제 그만 아파해도 된다.

죄책감 가지지 않아도 된다.

지나간 일이니까 다가올 내일을 생각하며 살아가자.

당신, 그럴 수 있고 그럴 만 했다. 나라도 그랬을 것이다.

오늘부터 많이 웃게 될 거에요.

당신에게 행복이 다가가는 중이거든요.

- 최 별 -

행복해지는 공식 10가지

하나. 행복은 항상 가까이에 있다.

둘. 오늘 하루가 행복하면 내일도 행복할 것

셋. 자신을 먼저 사랑해주고 남을 사랑해주기

넷. 사랑하는 사람과 소소한 일상 보내기

다섯. 가까운 사람들과 소중한 시간 보내기

여섯. 당신의 아픈 마음을 억누르지 말고 표현하기

일곱. 부모님께 사랑한다고 이야기 해주기

여덟. 아내에게, 남편에게 미안한 것이 있으면 사과하기

아홉. 사랑하는 사람에게 밥은 먹었는지, 무슨 일은 없었는지, 일상적인 대화 많이 하기

열. 남을 의식하지 말고 자기 방식대로 살아가기

사랑하고 싶습니다.

재고 따지는 사랑 말고 순수하게 사람이

좋아서 하는 그런 예쁜 사랑 말입니다.

- 최 별 -

B 군의 이야기

오늘도 늦은 아침, 따사로운 햇살에 눈을 뜹니다.
여느 때와 마찬가지로 주말에는 11시까지 늦잠을 잡니다.
일어나자마자 먼저 책상위에 있는 푸록틴20mg 정과 아빌리파이정 2mg을 먹습니다.
20년간 저를 괴롭혀온 강박증 때문입니다.
손에 피가 날때까지 씻을 때도 많고, 가스불은 잠갔는지 수시로 확인하지만
사실 그것들은 크게 저를 힘들게 하는 것은 아닙니다.

정말 힘든 것은 바로 생각 강박입니다.
불안한 생각과 하기 싫은 생각이 억지로 떠올라 나 자신을 괴롭히는 것입니다.
아쉽게도 이런 저의 생각 때문에 전 한 번도 행복하게 살아본 적이 없습니다.
행복은 잠깐 스쳤다가 사라질 뿐, 저를 지배한 적은 없습니다.

참 힘듭니다.
어릴 때부터 먹었던 이 약을 먹었다, 끊었다 하기를 반복하며
아직도 저는 강박이라는 녀석을 지배하지 못했습니다.

'그냥 편하게 긍정적으로 생각해라. 너가 나약해서 그런 것이다.'
라고 남들은 애기하는데 그런 애기를 할 때마다 정말 화가 납니다.
사람 마음은 그렇게 쉽게 바뀌는 것이 아니기 때문

입니다.

언제쯤 이 지긋지긋한 강박증으로부터 벗어날 수 있는지 모르겠습니다.
사실 저도 어렴풋이 알고는 있었습니다.
저의 병으로부터 자유로워지는 날은 오지 않는다는 것을요.

저는 이렇게 살아갑니다.
매일 불안한 마음과 부정적인 생각이 지배당한 정신으로 하루를 보냅니다.
남들은 제가 그런 병을 가지고 있는지 모릅니다.
제가 의연한 척하며 사회생활을 하기 때문이죠.
그렇지만 사실 제 마음속은 썩어 문드러져 있는 것입니다.

얼마전 너무 힘들어서 강박증을 낫게 하는 것보다는 포기하고 평생 약을 먹으며 살아야겠다는 생각을 했습니다.

포기해버린 것이죠. 병에 굴복한 것입니다.
저는 나약한 존재이기에 병을 이겨내지 못했습니다.
강박증을 가지고 불안한 상태로 살아야 하는 것입니다.
그렇게 저는 한동안 펑펑 울었습니다.
저 자신의 나약함에 힘들어하면서요.

그런데 펑펑 울고 강박증을 받아들이고 나니 마음이 편안해 졌습니다.
그저, 병도 나의 일부라고 생각하고 받아들이니 한결 머릿속이 가벼워졌습니다.

그 날부터 였을까요. 그 이후로 손도 계속해서 씻지 않고, 문을 잠갔는지 확인하는 횟수도 확연히 줄었습니다.
이성적이지 못하다는 것을 알면서도 행했던 행동들이 거의 다 사라진 것이죠.

그 뿐만 아니라 부정적인 생각들, 불안함이 많이 사라졌습니다.
마음의 여유가 찾아와 가만히만 있어도 행복함이 느껴졌습니다.
그때 저는 너무 행복해서 또 울었습니다.

이런게 행복이구나. 가만히만 있어도 이렇게 행복한 거구나 하면서 말입니다.
저를 20년 넘게 괴롭혀온 병으로부터 자유로워질 수 없음을 인정하고
받아들이는 순간부터 오히려 병이 저를 떠나감을 느꼈습니다.

이는 오로지 받아들임으로써 저의 인생이 행복해진 결과라고 볼 수 있습니다.
너무 행복하고, 받아들임이 이렇게 중요한 것인지 이제서야 알게 되었습니다.

물론 저는 지금도 약을 먹고 있고 가끔씩 불안함 때문에 힘들기는 합니다.
그러나 그 정도가 거의 눈에 띄게 줄었고,
지금은 정상인과 별다름 없이 행복을 느끼며 살아가고 있습니다.

전 행복한 사람입니다.
병이 있다고 해서 행복을 누리지 못할 권리는 없습니다.
앞으로도 저는 제 병을 안고 살 것입니다.
이것도 나의 일부이고, 나의 약한 모습이기 때문입니다.

그래서 더 꽉 안아주려고 합니다.
제 안의 병이 저에게 위로 받고, 행복해지도록 말입니다.
오늘도 저는 저를 안아주고 위로해주며 하루를 살아갈 것입니다.

불안할 때는 세 가지만 기억하세요.

'뭐 어쩌라고, 난 모르겠다, 흥칫뿡이다.'

- 최 별 -

우울의 건너편에서

왠지 모르게 그냥 우울한 날이 있다.
아무것도 하지 않아서 더 우울한 날,
남들은 다 무언가를 하는데 나만 뒤처지는 것 같아서
우울한, 그런 날이 있다.

우울에는 사실 답이 없다.
그저 일어나기 싫어서 침대에만 누워 있고,
삶의 의욕 자체가 없어서 아무것도 하기 싫은 것이다.

대부분의 우울증 환자들의 표정은 그저 무표정이다.

슬퍼서 힘들어하는 표정은 아니다.
그러나 그들의 마음은 그 누구보다도 슬프다.

그들에게 힘내라는 말은 실례일 뿐이다.
힘이 전혀 나지 않고, 낼 의욕도 없고, 낼 수도 없는 것이다.
그런 사람들에게 힘내라는 말은 그 분들을 전혀 이해하지 못하는 것이다.

감정은 사이클이 있다.
기분이 안 좋았으면 다시 좋아질 때가 오고
기분이 좋아질 때면 또 안 좋아질 때가 온다.

우울한 사람들은 지금 안 좋은 사이클에 진입해 있는 것이다.
우울함은 그저 그냥 받아들이는 수밖에 없다.
'내가 아프구나, 힘들구나' 느끼며 받아들여야 한다.
괜히 밝아지려고 노력해봐야 더 힘들어지고 스트레

스만 받을 뿐이다.

그저 우울함을 유영하라.
그리고 생각하자. 언젠가 올라갈 사이클이 있을 것이다.
기분 좋아질 때가 분명히 올 것이라는 것이다.
당신의 기분은 아직 좋아질 때가 아닌 것이다.
그러니까 지금은 우울한 것이고, 좋아질 때가 오면 당신의 기분은 저절로 좋아질 것이다.

너무 걱정하지 마라.
언제까지나 기분이 우울하지는 않다.
곧 당신에게 기분 좋은 일과 행복한 기분이 들 때가 올 것이니
조금만 기다리고 함께할 행복을 반겨주었으면 한다.

비교하며 사는 삶은 자신을 불행으로
인도하는 겁니다.
인생은 자신의 기준을 세우고 하나씩
맞춰 나갈 때 행복한 거에요.

- 최 별 -

비교하지 않는 삶

가끔 보면 불행을 알아서 집어 삼키고자 하는 사람들이 있습니다.
바로 비교하며 살아가는 사람들입니다.
인간의 본성은, 비교하며 나를 더 발전시키는 경향이 있기는 하지만
행복하게 살아가는 것에는 전혀 도움이 되지 않습니다.

명품 가방을 사서 기분이 좋은 당신이지만,
더 좋은 가방을 산 친구를 보고 시기, 질투를 한다면
그것은 전혀 행복하지 않은 것입니다.

당신의 가방도 이미 충분히 좋은 명품임에도 불구하고 말입니다.

명품이면 어떻고 5000원의 가방이면 어떻습니까.
자기가 봤을 때 예쁘고 아름다우면 그만입니다.
굳이 남과 비교하면서 더 가지려고 한다면, 이 세상에 만족할 수 있는 사람은 없습니다.

나보다 비싸고 멋진 것을 가지고 있는 사람이 승리자가 아니라
내 상황에, 내가 가지고 있는 것에 만족하고
웃으며 살아가는 사람들이 진정한 승리자 입니다.

인생에서 승리하고 싶습니까? 그렇다면 비교하지 마세요.
자신이 하고 있는 일과 가지고 있는 것들을
자랑스럽게 생각하고 만족하며 살아가세요.

그러지 않고 시기 질투만 한다면
당신은 불행하게 남과 비교만 하며 살아가는 패배자가 되는 것입니다.

마음의 여유가 있는 사람은 당신을 칭찬하며 추켜 세울 것입니다.
반면 여유가 없는 사람은 뒤에서 욕을 하고 있을 것입니다.
당신은 마음의 여유를 가지고 만족하며 살아가는 승리자가 되기를 바랍니다.

오늘은 당신에게 행복만 가득했으면 좋겠다.

웃는게 정말 예쁜 당신이니까.

- 최 별 -

아름답고 아름다워질 당신에게

행복에 가까워질 당신을 보면 너무나 아름답다.

웃는 모습이 예쁘고 아름답기에 더더욱 당신의 행복을 빌어주고 싶다.

아팠던 과거는 이제 손에서 놓아주고 행복할 미래를 그리며 앞으로 나아가자.

당신의 앞 날은 맑은 구름과 같이 청명하기에,

좋은 날들만 가득할 것이기에, 행복할 것이라는 것을 믿어 의심치 않는다.

언젠가 문득 뒤돌아 봤을 때 '그때는 왜 그렇게 힘들고 아팠지' 하며
웃을 수 있는 날이 반드시 온다.
행복은 멀리 있지 않다. 항상 가까이에 있다.

지금 당신 옆에 있는 동료가, 당신을 응원하고 있는 가족이
행복하게 해 줄 수 있는 것이다.

행복은 당신이 선택하는 것,
나는 당신이 행복으로 인생을 살아가기를 바란다.

누군가의 이야기 5

오랜만에 서점에 들렀습니다.

읽고 싶은 책을 찾아 헤매던 중 신간 에세이 책이 눈에 들어옵니다.

제목은 '아프지 말고 행복하게 잘 살아갈 것' 이라는 책입니다.

내용을 보니 아프지 말고 행복하자 그런 내용인 것 같습니다.

전 사실 에세이를 좋아하는 편은 아닙니다.

다 내용이 '힘내라, 그래도 괜찮다.'

뭐 이런 내용이 주로 있기 때문에 크게 와 닿지는 않거든요.

이 책도 그런 내용이 아니기를 바래 봅니다.

고민하다가 책을 사왔네요.

책장을 넘깁니다. 저자 이름이 '최 별' 이네요.

별이라는 이름이 유치하기도 하면서 귀여운 느낌이 듭니다.

이 책이 저에게 행복을 줄 수 있을까요?

글쎄요. 까짓 거 뭐 한 번 읽어보죠.

'아프고 힘들었을 당신에게 해주고 싶은 말이 있다…'

에필로그

작중의 많은 등장인물과 이야기는 에세이의 특성인 위로의 글을 보다 즐겁게 읽었으면 하는 바램으로 끼워 넣었습니다.
그들의 생각과 경험을 나누고 공유하며,
직접 사람과 대화하고 있는 듯한 느낌을 독자들이 받았으면 하는 마음입니다.

이번 책을 집필하며 저 자신도 많이 돌아보게 된 계기가 되었습니다.
행복에 대해 쓰는 사람인 저 자신은,
얼마나 행복한 삶을 살고 있는 것인지 생각해보게 되

었습니다.

모쪼록 이번 책에서 제가 하고 싶은 말은
'아프지 말고 행복하게 잘 살아갈 것' 입니다.
그 말이 하고 싶어 여러 이야기를 적어보았습니다.

책이 마음에 드시기를 바라며 물러가겠습니다.
항상 행복하시기를 바랍니다. 오늘도, 내일도, 지나간 과거까지도.

- 최 별 올림 -

인스타그램 | @ch_oibyeol

아프지 말고 행복하게 잘 살아갈 것

초판 1쇄 2023년 09월 18일 인쇄
초판 3쇄 2024년 05월 03일 인쇄

지은이 최별

디자인 포레스트 웨일
펴낸이 포레스트 웨일
펴낸곳 포레스트 웨일
출판등록 제2021 - 000014 호
주소 충남 아산시 아산로 103-17
전자우편 forestwhalepublish@naver.com

종이책 979-11-92473-76-5

ⓒ 포레스트 웨일 | 2023

· 이 책은 저작권법에 의하여 보호받는 저작물이므로 무단 전재와 복제를 금합니다.
· 이 책 내용의 전부 또는 일부를 이용하려면 사전에 저작권자와 포레스트 웨일의 서면 동의를 얻어야 합니다.

작가님들과 함께 성장하는 출판사
포레스트 웨일입니다.
작가님들의 소중한 원고를 받고 있습니다.
forestwhalepublish@naver.com